Le guide de survie des (Z)imparfaites

Mieux (sur)vivre avec ses enfants… et ceux des autres !

Les Éditions des Intouchables bénéficient du soutien financier de la SODEC et du Programme de crédits d'impôt du gouvernement du Québec.

Nous remercions le Conseil des Arts du Canada de l'aide accordée à notre programme de publication.

Nous reconnaissons l'aide financière du gouvernement du Canada par l'entremise du Programme d'aide au développement de l'industrie de l'édition (PADIÉ) pour nos activités d'édition.

ASSOCIATION NATIONALE DES ÉDITEURS DE LIVRES Membre de l'Association nationale des éditeurs de livres.

LES ÉDITIONS DES INTOUCHABLES
512, boul. Saint-Joseph Est, app. 1
Montréal, Québec
H2J 1J9
Téléphone : 514-526-0770
Télécopieur : 514-529-7780
www.lesintouchables.com

DISTRIBUTION : PROLOGUE
1650, boulevard Lionel-Bertrand
Boisbriand, Québec
J7H 1N7
Téléphone : 450-434-0306
Télécopieur : 450-434-2627

Impression : Marquis imprimeur inc.
Conception graphique : Marie Leviel
Illustration de la couverture : Marie Leviel
Illustrations intérieures : Julien Castanié
Révision, correction : François Mireault, Maude Schiltz

Dépôt légal : 2009
Bibliothèque et Archives nationales du Québec
Bibliothèque nationale du Canada

ISBN : 978-2-89549-402-7

Mieux (sur)vivre avec ses enfants... et ceux des autres !

Fini l'obsession de la mère parfaite et ses diktats étouffants et culpabilisants! Place au joyeux désordre, à l'improvisation organisée et au véritable plaisir d'être soi-même... pré ou postvergetures!

Êtes-vous prêts pour les (Z)imparfaites!

À nos chers petits (z)imparfaits...
Adèle et Hubert
Ophélie, Morgane et Loïc
Ariane et Thomas
et Simone
...sans qui nous serions condamnées
à la perfection!

Introduction

Qui sont les (Z)imparfaites ?

Elles ont lu tous les livres sur la maternité, la naissance, l'éducation des enfants de zéro à cinq ans, l'alimentation des nouveau-nés, l'approche sensorielle, le guide étape par étape d'anticipation de l'adolescence...

Puis, elles les ont balancés à la récup'.

Elles ont enduré les leçons de morale de la brigade pro-allaitement, les conseils ampoulés de belle-maman, les discours culpabilisants de ceux qui détiennent la vérité, de ces « professionnels de la parentalité » de tout acabit.

Elles ont débouché une seconde bouteille de rosé, puis elles ont dit : « Ça suffit, bordel ! Et si on écoutait un peu notre instinct maternel ? »

Elles ont eu l'idée de créer un blogue où les mères qui en ont plein le dos (des marmots), le nez (du « régurgit »), les oreilles (des pleurs nocturnes) et les mains (de caca, quoi d'autre ?), pourraient se retrouver. Faire leur *coming out* de mères... (Z) imparfaites ? Non, NORMALES !

Un endroit où celles qui font boire Junior au biberon, laissent leur enfant se faire bercer par Papa, retournent au travail quand bon leur semble, introduisent la purée de brocoli avant la purée de carottes, achètent des patates sucrées non bio, calment Mr. TerribleTwo par des méthodes fonctionnelles mais non homologuées (« Un biscuit pour canaliser ton agressivité, mon petit ? »), peuvent s'exprimer sans honte, sans gêne, sans justification.

Quand on devient mère, faudrait-il expulser notre esprit critique et notre jugement en même temps que le placenta ?

Il est grand temps de stopper le délire. C'est à ce point-là de l'évolution maternelle qu'on est rendu. Ce n'est pas une mode, c'est un état de fait.

Est-ce que cumuler pression, culpabilisation et perfection contribue à faire de nous de bonnes mères ? Est-ce qu'ignorer ses failles et s'en mettre toujours plus sur les épaules est une promesse de bonheur familial ?

Et s'il suffisait de rire de soi et de ses travers pour avoir la maternité heureuse ?

Et s'il fallait simplement être des (Z)imparfaites pour atteindre la perfection ?

Nancy
Nadine
Jeune Homme
Momo
Miss Lulus
Lili
Lolo

Nadine

100 projets, 3 cache-cernes, 2 mains et 1 cerveau (surchauffé).

Nancy

« Listeuse » compulsive, elle note tout mais l'oublie rapidement. Possède un sens aigu de «l'à-bouttisme» qu'elle combat à coup d'humour et (trop souvent) de Pattes d'ours.

3 ans, mais vit un *terrible two* permanent. Maîtrise le grognement (il se croit le dernier dinosaure vivant).

6 ans, à la langue hyperactive et génératrice d'idées farfelues, aux intérêts multiples et souvent divergents.

Momo

6 ans, drama queen au cynisme inné (elle a 14 ans dans sa tête).

Lili

6 ans, mini-*geek* à roulettes. Elle rêve d'avoir un vrai Blackberry à Noël.

Lolo

6 ans, futur DJ à l'attitude de rock star, pense qu'il parle couramment l'anglais.

La Charte des droits *des (Z)imparfaites*

Les droits acquis et indispensables pour survivre

Ces droits sont aussi essentiels qu'incontestables ! Y déroger fait de vous une cible potentielle pour les mères (trop) parfaites. Et viennent ensuite pression de performance, désir d'en faire plus pour épater la galerie (quelle galerie, au fait ?) et délire profond menant à un surmenage extrême doublé d'une fatigue paralysante. Pourquoi s'en demander autant ?

À partir d'aujourd'hui, les (Z)imparfaites vous donnent le droit de :

- ❑ Ne pas accoucher naturellement (ou refuser la péridurale si vous supportez bien la douleur !) ;
- ❑ Ne pas allaiter (ou allaiter vos quadruplés si vous en avez la force !) ;
- ❑ Utiliser des couches jetables... ;
  ... et les acheter chez WalMart si ça vous tente ! ;
- ❑ Envoyer vos enfants à la garderie avant l'âge de deux ans ;
- ❑ Habiter ailleurs que dans le 514 ;
- ❑ Ne pas aller voir un film pour enfants norvégien à l'Ex-Centris ;

sous-titré en flamand, bien sûr !

- ❑ Récompenser vos enfants avec du McDo ;
- ❑ Ne pas *faker* le bonheur devant un affreux bricolage fait par votre enfant ;
- ❑ Déjeuner (dîner ou souper — avec des *grilled cheese*) devant la télé ;
- ❑ Ne pas apprendre l'heure à vos enfants pour pouvoir devancer l'heure du dodo ;
- ❑ Avoir des vrais Mr. Freeze avec du vrai sucre dans le congélo ;
- ❑ Ne pas servir des légumes à tous les repas ;
- ❑ Cacher, perdre ou briser délibérément les jouets que vous ne pouvez plus supporter (les jouets musicaux) ; ou pour le bain !
- ❑ Donner un ordre et non un choix à huit options à votre enfant ;
- ❑ Passer des pages d'un livre quand l'histoire est trop plate ou trop longue !

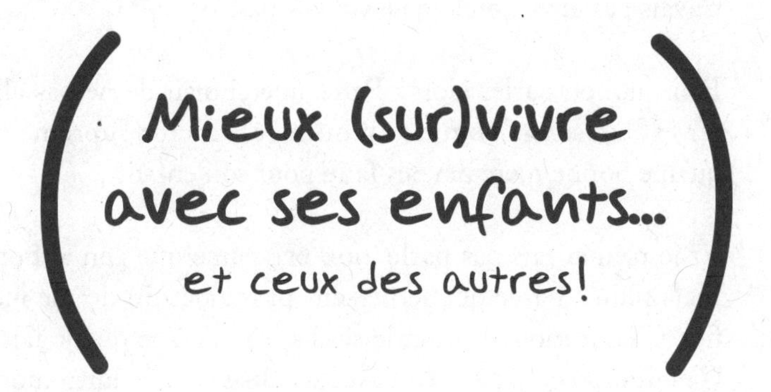
Mieux (sur)vivre
avec ses enfants...
et ceux des autres!

Je n'ai pas allaité

Voilà. C'est dit. Je-n'ai-pas-allaité.

Choquant ? Peut-être pour vous. Pas pour moi. Car j'ai pris ma décision avec toute ma tête et tout mon cœur. Allaiter ne me convenait pas. Point. Ce n'était pas moi, je n'étais pas à l'aise, je ne voulais pas me sentir exclusive à mon enfant, je n'avais pas envie, bref, je ne voulais pas.

Pourquoi en parler alors ? Parce que choisir de ne pas allaiter est considéré comme un outrage, l'accroc suprême à ce qu'une bonne mère devrait faire pour son enfant.

Et je n'en aurais pas parlé, non pas parce que j'en ai honte, mais plutôt parce que je ne sens pas le besoin de me justifier. C'était mon choix et je savais très bien ce que je faisais. C'était mon choix à moi. Basta la culpabilité : je lui ai montré la porte rapidement… Pas question qu'elle entre chez moi. C'était mon choix, fait de manière éclairée !

***

L'histoire de mon non-allaitement :

Tout a commencé dans un cabinet au CLSC. C'est là que j'ai eu à subir, alors enceinte de MissLulus, les assauts d'une infirmière hystérique. Elle m'a traitée comme si j'étais une future mère totalement insouciante et désobligeante, car je n'envisageais pas l'allaitement. « Tu ne veux pas ce qu'il y a de mieux pour ton bébé ? ? ? », a-t-elle hurlé. Y a quelqu'un qui a dit que j'allais lui donner du poison à rat ?

Bref, au lieu de me proposer une alternative, elle m'a joyeusement dénigrée. J'aurais pu lui dire que je mangeais trois

Big Mac par jour, ingurgitais trois litres de Pepsi, me servais un bol de chips BBQ au déjeuner et me *shootais* de la drogue avant de sortir jusque tard dans la nuit que ses yeux n'auraient pas été aussi menaçants que lorsque j'ai avoué ne pas désirer allaiter. Cette mère aurait probablement reçu des félicitations…

Mon histoire s'est donc terminée là, à ce moment précis, par un claquement de porte. Je suis partie. Avoir été épaulée ou à tout le moins écoutée, avoir entendu le discours sur l'allaitement mixte, j'aurais peut-être changé d'idée. Là, je suis partie avec la frondeur d'un ado sous l'effet d'hormones qui défie le monde entier en se disant: «Je vais vous prouver que j'ai raison. Je ne bougerai pas de ma position!».

tsé, genre, comme

Je n'éprouve pas de regrets d'avoir donné le biberon, pas plus que j'ai de regrets de ne pas avoir allaité. Le vrai choix, c'est aux mères qu'il revient. Mais je sais aussi que nager à contre-courant est parfois éreintant, et on se surprend même à s'excuser en avouant notre supposée faute du bout des lèvres.

Est-ce une bonne idée d'allaiter (ou de tirer son lait) quand le cœur n'y est pas? Les pro-allaitements tournent comme des mouches autour des bedons ronds dès les cours prénatals. Leur propagande est organisée, documentée, prouvée. Leur arme la plus destructrice: jouer sur la culpabilité des futures mères avec une série de preuves en béton sur l'immunité renforcée du futur rejeton, le QI dans le plafond et quoi encore? Pourquoi n'y a-t-il jamais une mère d'expérience pour venir témoigner de son expérience des biberons, pour rassurer tout le monde: «*Mon fils a 15 ans. Il n'a presque pas été malade. Il n'a pas décroché. Il n'est pas violent. Il ne sera pas un tueur en série*»? Qui sait, c'est peut-être ce que je ferai plus tard…

Bravo à celles qui allaitent par conviction, qui vivent une expérience renforçant leur instinct maternel. J'espère seulement qu'elles le font par choix; pas par obligation sociale, pas par peur du jugement, pas par culpabilité. Ce n'est pas d'une mère remplie de ces sentiments qu'a besoin le nouveau-né, mais d'une femme épanouie, heureuse... et en paix avec elle-même !

Publié le 2 juin 2008 par Nadine

Anxiété parentale

J'ai eu beau lire tous les livres, pour ça, on ne m'avait pas préparée. Je n'avais pas idée à quel point, dès la naissance de mes enfants, ma vie se remplirait de dizaines de petites et grandes peurs qui jusqu'alors m'étaient complètement inconnues.

Dès leurs premiers cris de vie, j'ai ressenti pour la première fois la peur de mourir. Pire, la peur que TriplePapa et moi mourions tous les deux en même temps. Les enfants étaient hospitalisés, au chaud dans leur incubateur, et pendant le trajet du retour à la maison le premier soir, je m'imaginais les pires scènes d'accident… et les gros titres dans les journaux du lendemain : « Nouveaux parents fauchés par une semi-remorque sur la 720. Leurs triplés prématurés d'une semaine sont toujours hospitalisés à Sainte-Justine. »

Puis vient la peur qu'ils arrêtent de respirer (combien d'enfants meurent annuellement de la mort subite du nourrisson ?), qu'ils s'étouffent ou qu'ils fassent des convulsions au moindre signe de fièvre.

Puis ces peurs s'atténuent pour faire place à d'autres, tout aussi effrayantes : peur que le bébé marcheur déboule les escaliers, qu'il parte en courant dans la rue et se fasse happer par une voiture, qu'il se coince les doigts dans une porte, qu'il tombe du module de jeu au parc, qu'il se retrouve au fond de la piscine pour avoir échappé rien que deux petites minutes à notre attention.

Et la veille de la visite chez le pédiatre, une autre peur fait surface. On se sent si folle d'y penser mais c'est plus fort que nous : et si on lui diagnostiquait une maladie mortelle ? Pire, si on n'en voyait pas les signes et qu'elle arrive soudainement, sans s'annoncer ?

encore!!!

Puis, ces peurs se dissipent et font place... à d'autres : peur que l'enfant devienne le souffre-douleur de l'école, qu'il se fasse embarquer par un méchant pédophile sur le chemin du retour, qu'il fasse une fugue, qu'on perde le contact, la communication, qu'il tombe sur de mauvais amis qui lui feront faire des mauvais coups, que ces mauvais coups aient des conséquences graves, criminelles, dramatiques. Peur qu'il rentre trop tard… ou qu'il ne rentre plus du tout et qu'on n'ait plus jamais de ses nouvelles…

Non, je n'avais pas été prévenue, mais être parent est une spirale sans fin de peurs, petites et grandes, que nous parvenons à contrôler mais qui sont toujours présentes, enfouies aussi loin que possible dans notre inconscient maternel.

Publié le 20 mai 2009 par Nancy

Les maudits doutes

Pendant des jours et des semaines, tout va bien. La vie se déroule sans problème. Puis PAF ! Au détour d'une conversation ou, pire, dans le sous-entendu d'un futile commentaire, on est assaillie par la force du doute. S'enclenche aussitôt la machine-à-penser, la production d'une tonne d'interrogations et le réveil d'une culpabilité latente.

Le doute envahit nos vies. Bien sûr, quand tout va comme sur des roulettes, on le maintient à distance aisément. Mieux encore, on le considère (de loin !) comme une preuve de réflexion songée du genre « si on ne doute pas, on n'existe pas ». Mais si on lui laisse une mince porte d'entrée sur notre conscience, il s'infiltre à une vitesse folle.

Bien sûr, c'est le doute qui nous pousse à faire des choix et à nous remettre en question. C'est très bien. Le problème est quand le doute nous déstabilise. Et en ce qui touche les mères, le doute est presque toujours semé par une autre mère...

Une amie en a fait l'expérience récemment. Séparée depuis trois ans, elle s'est entendue avec son ex pour la garde exclusive durant l'année scolaire afin que les enfants n'aient qu'une seule maison pendant cette période, leur assurant une stabilité essentielle à leur vie... d'enfant ! Son ex peut venir les voir-chercher-prendre-sortir avec eux quand il veut. Elle n'a jamais mis de limites, se revirant même sur un dix sous pour mieux faciliter leurs sorties. Jamais il ne s'est plaint. Puis un soir, presque trois ans jour pour jour, une amie — mère, elle aussi ! — lui flanque un commentaire du genre : « Tu as brimé le père de tes enfants. Tu lui as volé son rôle. » Il n'en fallait pas plus pour que le maudit doute se répande dans son esprit.

Les mères se jugent entre elles: « Moi, je fais toutes les purées de mon enfant. C'est bien meilleur ! », « Mon enfant n'a JAMAIS pris de suce ! », « Fiston dit 73 mots. Le tien ? », « On ne mange que du bio » et la liste est aussi longue que les sujets sont futiles ! C'est notre fléau. Sérieusement, vous en avez vu plusieurs des papas (im)parfaits s'assommer (subtilement, évidemment !) de commentaires insidieux, « plates » et accusateurs du genre ? Non, il n'y a que les mamans pour faire cela. Pour tenir devant le raz-de-marée du doute, il faut être solide et, des fois, on n'en a plus l'étoffe. On se sent comme un chiffon mouillé. On plie. On s'accuse. Etc.

Se rappeler qu'on a le droit d'être imparfaite et de nager à contre-courant, c'est un bon départ. Se rappeler aussi qu'on a le droit de penser par soi-même et de ne pas choisir le chemin le plus facile ou le plus achalandé pour prendre celui qui nous ressemble le plus, c'est encore mieux. Il faut s'affranchir du regard des autres et faire des choix pour nous et notre famille. Pas facile, car on a toutes peur de passer pour de mauvaises mères.

Et si le meilleur baromètre était simplement nos enfants, leur sourire et la douce impression que la vie n'est pas si lourde à porter ?

Publié le 11 juillet 2008 par Nadine

Les enfants des autres et moi

Quand je n'avais pas encore d'enfants, je mettais ça sur le compte de mon absence d'instinct maternel. Quand je subissais mes traitements de fertilité, je mettais ça sur le compte de ma « frustration d'infertile », mais maintenant que j'ai des enfants et de l'expérience maternelle accumulée, je dois admettre que mon désintérêt envers les enfants des autres est un trait chronique de ma personnalité.

Quand je dis « des autres », je parle ici des gens que je ne connais pas. Mais ne croyez pas que je sois toute « gui-gui-gou-gou » avec les enfants des gens que je connais. Mais je peux vous assurer qu'au moins j'ai de l'intérêt.

Face aux enfants des autres, je reste indifférente. Pour une simple et bonne raison : je-ne-les-connais-pas. Et les gens inconnus que je croise dans les endroits publics, peu importe leur âge, me laissent généralement indifférente. Je ne parle pas aux « étrangers » à moins d'y être socialement obligée. Et cette règle s'applique particulièrement aux parents en démonstration.

Un exemple : samedi matin, j'attends que Momo termine son cours de théâtre. Maman-trop-fière d'une fillette de son groupe est venue la chercher en compagnie de son plus récent bébé. De toute évidence, Bébé-Prouesse vient de commencer à marcher. Maman-trop-fière attend que les autres parents soient tous arrivés et, quelques secondes avant la fin du cours, elle va placer Bébé-Prouesse à l'autre extrémité de la pièce et lui dit : « Viens, Bébé, viens voir maman, viens mon petit loup, viens par ici, avance, oui, c'est ça... » Et là, voilà que trois mamans se mettent à s'extasier devant les prouesses de Bébé : « Oooooohhhhhhh ! », « Yé ben bon ! », « Bravo, Bébé ! »

Voyons, Bébé-Prouesse doit avoir 14 mois. C'est à cet âge-là qu'on marche ! De glace, restai-je. Pire. De marbre, suis-je.

Allôôôô ? ? ? Ça sent le *set-up* de la bébé-valorisation à plein nez ! Si j'ai de la difficulté à comprendre pourquoi certains parents s'entêtent à mettre leurs enfants en scène en public, j'en ai encore plus à saisir l'excitation des spectatrices. Je dis bien spectatrices, car j'ai rarement vu de telles opérations de démonstration/excitation faites par des pères.

Est-ce que c'est censé venir avec la maternité, de s'exciter sur TOUS les bébés ? De toute évidence, moi, on m'a oubliée !

Publié le 9 avril 2009 par Nancy

L'autorité parallèle

Vous en connaissez des gens autour de vous qui croient dur comme fer qu'ils ont engendré la 8e merveille du monde ? Leur enfant est donc beau, donc fin, donc drôle. Bizarre ! Car, vous, quand vous regardez la supposée merveille, vous ne saisissez pas du tout. Celle-ci a une lueur dans les yeux qui vous fait frissonner. Comme si Supposée-Merveille avait saisi la faille chez ses parents et qu'elle en profitait. Voire qu'elle manipulait ses parents comme des pantins.

donc tout...

Ces parents obnubilés ont la fâcheuse manie de ne jamais vouloir contrarier Supposée-Merveille. Et donc, personne ne doit intervenir auprès de Supposée-Merveille pour ne pas brimer son développement ou entacher son estime de soi ! Perso : p-a-s c-a-p-a-b-l-e ! Ni de l'enfant ni des parents !

Je me rappellerai toujours une rencontre avec d'autres mamans où tous nos enfants jouaient dehors sur une petite glissade. Nous étions dans le royaume de Supposée-Merveille qui agissait en tyran. C'était toujours SON tour sur la glissoire. Toujours. Il bousculait les autres enfants, passait sans gêne devant eux, écrasait une main au passage, etc. Un vrai dictateur du module Little Tikes.

Je jette un premier regard vers sa mère : elle est occupée à étaler le pique-nique. Je suis soulagée : elle n'a probablement rien vu. Voilà pourquoi elle n'a pas averti Supposée-Merveille… Je m'approche de la glissoire. Il me semble que mon regard noir et mes bras croisés auraient dû lancer un message clair : « Je surveille. Je suis là. Je vous regarde. » N'importe quel enfant gentil aurait fait un double effort pour paraître encore plus gentil. Rien n'atteint Supposée-Merveille qui continue à piquer le tour des amis, à écraser des doigts et à distribuer des coups. Ça va faire, bordel ! J'instaure le « tour de rôle » et je demande calmement à Supposée-Merveille de ne pas faire mal à ses amis. J'ai fait preuve d'une diplomatie exemplaire, car si j'avais pris ainsi mon propre enfant en flagrant délit de méchanceté, je lui aurais servi un avertissement sans gants blancs. Le respect est primordial chez nous ; ailleurs, peu importe. Bref, j'avertis Supposée-Merveille, qui me lance un de ses puissants regards noirs. Ça me perturbe un peu, mais voyant la bonne humeur des autres enfants, libérés de son emprise, je me sens presque comme un super héros ayant rétabli l'ordre.

Fière de moi, je retourne papoter avec les autres mamans jusqu'à ce que j'entende au loin les lamentations de Supposée-Merveille qui renifle dans le cou de sa maman. Et le coup final, les paroles de la maman m'achèvent : « Je sais, mon trésor, ce n'est pas facile de partager ta glissoire. Tu as de la peine ? Viens, je vais te faire un gros câlin. Tes amis vont te laisser y aller. Vous voulez lui laisser un tour, les amis ? Hein ? » Elle venait en 15 secondes de bafouer mon autorité parallèle. Incapable de comprendre que son enfant n'a peut-être pas été exemplaire ! « Il faut savoir comment le prendre. C'est un grand sensible ! » qu'elle nous dit en revenant. Un grand sensible ? ? ? Un puissant manipulateur, plutôt !

Mais il y a pire encore : le regard méchant, manipulateur et conquérant de Supposée-Merveille qui me défie par-dessus l'épaule de sa maman qui lui tapote le dos. « J'ai gagné, tu vois bien ! ENCORE ! », que je décode. Il a compris qu'il pourra refaire son manège, manipuler ses parents et gagner chaque fois qu'on lui imposera des règles de conduite en société.

Mais dites-moi quoi faire devant ces enfants monstres ? J'aurais envie de secouer les parents. Leur montrer l'envers de leur Supposée-Merveille. Mais est-ce que ça aurait un impact ? Probablement pas. Il reste que ce sont ces mêmes parents qui prennent pour leur enfant en toute occasion, croyant qu'ainsi il sera bien protégé et mieux armé pour affronter la vie. À moins que ce ne soient les parents qui aient de la difficulté avec l'idée que d'autres personnes qu'eux exercent une certaine forme d'autorité sur leur petit chéri ? L'autorité parallèle est-elle si effrayante ? Perso, j'aime bien passer le flambeau. Surtout que le message est souvent bien mieux compris et assimilé quand il ne provient pas de moi !

Publié le 19 février 2009 par Nadine

Des bébés laids, ça existe !

Le souvenir est intact. Une collègue ayant récemment accouché avait envoyé une petite carte ainsi qu'une photo de son bébé. Le tout était épinglé sur un babillard loin de mon bureau. Attirée par la perspective d'une mignonne photo de bébé — j'étais aussi dans la phase « On en a un autre tout de suite ou pas ? » —, je me lève pour aller admirer la progéniture.

Brrrrrr !

Involontairement, je fais un bond en arrière comme pour me protéger.

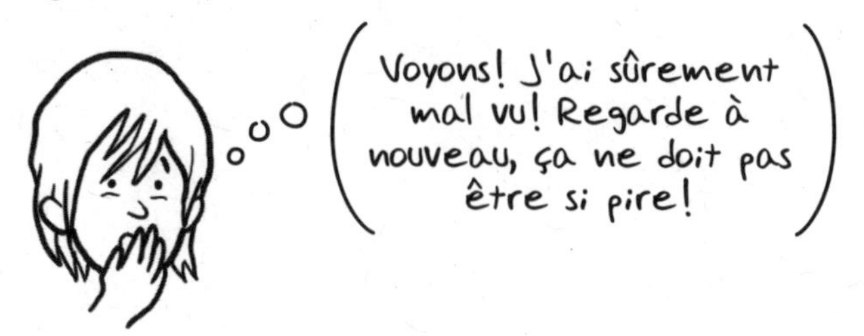

Timidement, je m'avance à nouveau. Prudemment. En fixant bien le haut de l'interminable front du poupon.

Même réaction. Brrrrrr ! Je recule de deux pas, prise de frayeur.

Impossible de résister et je crache le morceau : « Mon Dieu qu'il est laid ! » OK, j'étais seule dans le bureau. Mais ça soulage de ne pas garder cette révélation au fond de soi.

Laid. Frippé, maigrichon, mal photographié, un ensemble vert fade, un air de p'tit vieux et j'en passe. Et surtout, une grande question m'envahissait : était-ce vraiment la plus belle photo que les parents avaient de l'enfant ? C'était désolant.

Et j'ai eu une maigre pensée pour la mère, probablement déjà en post-partum, avec un bébé au visage si peu flatteur.

Non, mais c'est vrai. Quand on finit par envoyer les cartes de remerciements, on choisit la plus belle photo de notre enfant. Celle dont on est le plus fière. Pas celle où il a l'air d'un pichou. Au pire, s'il est trop maigrichon, la peau toute plissée ou encore recouverte de l'affreuse acné du nourrisson, on attend quelques semaines pour envoyer nos remerciements. On fait des retouches avec Photoshop, quelque chose ! C'est la trace qu'il laisse partout où on l'envoie, et on n'est même pas là pour plaider en sa faveur. Mêmes recommandations à tous ceux qui envoient la photo de leur enfant — et paient pour — dans le cahier des bébés de l'année dans les journaux. De grâce, choisissez une photo qui a de l'allure. Chaque année, je dévisage une bonne dizaine d'enfants en me disant que ça doit être la photo qui ne les avantage pas et qu'ils ne peuvent pas être vraiment aussi laids !

98e chose sur notre to do list postbébé

ouache !!!

mois?

Cette expérience troublante est venue me hanter lorsque j'ai appris que j'étais de nouveau enceinte. Si, à ma première grossesse, je ne souhaitais qu'un bébé en santé, à la seconde, j'ai secrètement prié pour qu'il soit en santé ET qu'il ne soit pas laid. J'ai passé neuf mois à angoisser sur la possible laideur de mon bébé. Sait-on jamais ? On aurait pu me faire payer les mauvais commentaires passés. Pire, peut-être qu'on ne sait jamais que notre bébé est laid ? Peut-être que le post-partum affecte notre vue et notre jugement. En tout cas, j'ai choisi avec soin la photo dans mes cartes de remerciements. J'ai consulté au moins 12 regards extérieurs pour qu'ils examinent la photo envoyée, tellement que j'ai fini par économiser : pas besoin de la leur envoyer, ils l'avaient tous vue avant !

Publié le 7 octobre 2008 par Nadine

Je converse avec un ivrogne...

... du matin jusqu'au soir. Ne vous méprenez pas : ce n'est pas Papa (im)parfait qui trinque. L'ivrogne est bien JeuneHomme en chute libre vers son *terrible two*. Discuter avec un vrai ivrogne aux prises avec des sursauts de lucidité entrecoupés de périodes confuses plus ou moins longues ne serait pas plus pénible. Et dénominateur commun : on ne déchiffre pas grand-chose du charabia qu'ils nous lancent à la figure d'un air outrageusement « dépassé-frustré-limite-à bout » ! Toujours prêts à exploser dans une colère noire et peu habiles sur leurs jambes chancelantes (l'un parce qu'il a moins d'un an de pratique dans le corps, l'autre parce qu'elles sont trop molles momentanément !), on ne sait même pas comment les approcher. Car la tentative peut être interprétée comme un envahissement subit du territoire de l'ivrogne (peu importe lequel !), et les assauts s'avèrent surprenants (Aïe ! Un coup de verre à bec ! Je t'avertis, petit ivrogne, tu ne me le referas pas !).

Comme un ivrogne, JeuneHomme se contredit à une vitesse folle :

— *Tiens, en voilà !*
— *Mici*, dit le JeuneHomme, d'une voix mielleuse et nous gratifiant d'un mignon sourire. Mais aussitôt qu'il met le verre dans sa bouche :
— *Naaaaaaoooon, Juiiiiiice ! (conséquence de la fréquentation d'une garderie multiethnique)*, hurle-t-il. On le croirait possédé du démon. Où est passé le délicieux sourire ?

— *Bon, OK. J'achète la paix. En voilà ! (inspire – expire – inspire – expire !)*
— *Mici*, dit le JeuneHomme, retrouvant sa douce voix. *Naoooooooooon ! Pas çaaa... Juice-là !*, ordonne le terrible enfant en pointant un autre jus.

Dilemme : je rachète la paix ? Ça va me coûter une fortune, car les indécisions et les contradictions s'accumulent. Je me souviens d'une mémorable crise, alors que je lui avais versé (*Ô malheur !*) du lait provenant d'un contenant de deux litres au lieu de la poche habituelle dans le récipient !

Influencé par sa grande sœur l'affublant parfois de « *Pas gentil !* » murmuré à deux centimètres de son nez, JeuneHomme répète désormais ces deux mots dès qu'il est contrarié. « *Papa pas gennnntiiiiiiiiiiiiiiiiiiiiiiiiiiiiiiiiiiil* ». On note aussi l'insistance marquée de Ivrogne-de-deux-ans dans les fins de phrases. Effet rapide en la demeure : d'abord, ça accentue sa demande, et puis, ça gruge instantanément mes maigres réserves de patience.

Bref, la vie avec Ivrogne-de-deux-ans est rock and roll. Mais pas désespérée. Car comme avec un véritable ivrogne, il est vraiment facile de le déjouer dans son propre jeu sans qu'il ne s'en rende compte. Appelons cela l'avantage d'être sobre... Tactique, donc.

— **User de faux choix.** Tout le monde connaît le principe, et l'utiliser révèle notre plus pure intelligence parentale et nous sauve de bien des casse-têtes : « *Tu prends ton bain seul ou avec MissLulus ?* », « *Tu veux une pomme ou des bleuets ?* », etc ;

— **Réduire le nombre de questions (et leurs possibilités de réponses).** Autrement, on s'empêtre dans des choix qui n'en finissent plus ! Fini les « *Veux-tu de l'eau ? Du lait ? Du jus ? As-tu faim ? As-tu soif ? Tu veux ton auto rouge ? Bleue ? Verte ? Blanche ? Noire ? Mauve ? Grise ? Alouette !* » De un, ça n'a aucun sens. De deux, Ivrogne-de-deux-ans ne comprend rien à ces questions bizarres. De trois, invariablement la réponse est «*Naaaaaoooooooooonnnnnnn!*»;

— **Profiter de sa faiblesse et déjouer son attention.** Il me réclame à grands cris une compote avant le souper, que je tente de préparer tout en constatant qu'il vient de me pousser une troisième jambe pleurnicharde à côté des deux autres. Je lance rapido, sur un ton exagérément joyeux: «*Ohhhhhhhhhhh, un oiseau sur le balcon!*» (ou un avion dans le ciel, un écureuil dans la piscine, une mouche dans mon verre de rosé... peu importe! C'est le ton sur lequel on lance notre perche qui est important!). La plupart du temps, JeuneHomme oublie qu'il pleurait pour une compote, se précipite pour «voir» la merveilleuse trouvaille pendant que je fais disparaître les maudites collations. Du coup, l'oiseau parti, JeuneHomme oublie... comme un ivrogne ne sachant plus ce qu'il faisait avant;

— **Flatter son égo.** On le stimule à grands coups de «*JeuneHomme est un* **graaaaannnnnnnnnnnnnnnnnd** *garçon*» (notez ici qu'on insiste aussi subtilement sur le mot clé pour accentuer notre mécanisme de ruse. Le plus merveilleux: ça marche!). On flatte son égo, on joue avec sa fierté et manipule son désir de plaire.

Ma liste noire pour contrer l'ivrognerie terrifiante est en constante évolution. Et si je me versais un petit verre pour célébrer mon combat contre l'ivrognerie?

Publié le 7 juillet 2008 par Nadine

La pire menace ?

«Tu n'auras pas de dessert!», «Je vais confisquer tes jouets!»; ces phrases qui nous faisaient trembler autrefois ne sont même plus menaçantes pour nos enfants. Du déjà-vu. Trop souvent répétées. À jeter après usage.

Nous devons être beaucoup plus créatifs, imaginatifs, voire carrément «sauvages» pour espérer leur donner une bonne frousse. Chez nous, il y a des lustres qu'on n'utilise plus le verbe «confisquer», trop gentil. On menace de «jeter dans la grosse poubelle extérieure qui pue», rien de moins!

Et comme les desserts ont bien changé (adieu gâteaux Vachon de notre jeunesse pleins de gras trans et de sucre), ça ne dérange plus aucun enfant de passer son tour de compote ou de yogourt*! Il y en aura dans la boîte à lunch du lendemain, de toute façon...

* sans sucre sans gras

Alors, que reste-t-il? Quand la crise ultra aiguë augmente en intensité, quand le «chignage» bat un record mondial, quelle menace fait encore de l'effet chez vous?

Chez nous, il y en a quatre qui marchent très fort, mais on ne les utilise qu'en dernier recours. Quand notre baromètre parental est dans le rouge et qu'on est sur le bord de confondre «infanticide» et «alternative», on se lance:

1. «Tu vas aller dans le garage avec les mulots!» (fonctionne encore mieux si c'est la nuit...);

2. «Je vais te laisser sur le trottoir/dans ce champ!» (avec arrêt de la voiture sur le bord de la rue ou de l'autoroute, selon le cas. Visez l'autoroute, c'est plus percutant);

3. « Viens, on va aller voir le médecin des crises, il va te garder à l'hôpital pendant quelques jours ! » (avec son manteau et sa carte d'assurance-maladie en main si possible) ;

4. « On va être obligés de te changer de famille, ça ne fonctionne plus avec la nôtre ! » (la meilleure menace entre toutes, qui calme les deux autres en même temps).

Ce ne sont évidemment pas des méthodes *psy-friendly*, mais elles fonctionnent... On ne sait pas combien ces menaces ultimes vont coûter plus tard à nos enfants en psychanalyse, hypnose et nettoyage de chakras mais, pour l'instant, ça ne nous coûte qu'une bouteille de rouge chaque fois ! Pas cher pour déculpabiliser tranquille !

Publié le 24 octobre 2008 par Nancy

Trois mois en pyjama

Dimanche prochain, je pourrai dire qu'à quelques heures près, ma fille vient de passer trois mois en pyjama.

C'est un peu gênant à avouer : je ne mets jamais de « vrais » vêtements à mon enfant. Elle a passé Noël en pyjama, est allée aux retrouvailles des cours prénatals en pyjama (les autres bébés portaient pantalons et chandails), elle sort au resto en pyjama, etc.

Elle a porté un ensemble pantalon et chandail une seule fois, pour faire plaisir à ma belle-sœur qui le lui avait offert. Aussitôt la belle-sœur partie, Bébé était de retour à ses non-vêtements habituels.

Petite, j'ai toujours détesté les Barbies. Avez-vous déjà essayé d'enfiler une robe de soirée à une Barbie ? C'est loooooong ! Les bras ne veulent pas entrer dans les manches. On passe tout près de déchirer ladite robe. On rage.

Pour moi, habiller un bébé relève de la même expérience. Ça ne déplie pas les bras quand il faudrait. Ça chigne. Ça plie les genoux bien serrés. Côté collaboration, c'est zéro (comme chanterait Julie Masse).

Alors, pour m'éviter ce déplaisir, je laisse ma fille en pyjama. Et je crois qu'elle m'en remerciera. Qui ne pousse pas un petit soupir de soulagement en enlevant ses jeans le soir ? Avouez qu'on est bien mieux dans un pantalon de jogging, aussi laid soit-il.

Mais voilà, quand on est adulte, passer une journée en pyjama, ça veut dire qu'on est malade. Et même malade, on ne s'accorde pas souvent le droit de ne pas s'habiller pendant toute une journée.

C'est donc seulement quand on est enfant qu'on peut véritablement apprécier le plaisir de ne pas s'habiller. Une fois adulte, on se sent toujours légèrement coupable d'avoir passé une journée entière en tenue de nuit.

À trois mois, ma fille ne se sent coupable de rien. Moi, un peu.

Mais soyez rassurés, à partir de 16 ans, je l'habille comme tout le monde!

Publié le 27 février 2009 par Marie-Ève, (Z)imparfaite invitée

Parents Pinocchio

Combien de fois par semaine mentez-vous à vos enfants ? Des mensonges qui ne font pas mal, on s'entend, mais qui règlent facilement les conflits ou apportent rapidement des solutions aux problèmes complexes :
— « Ne fais pas trop de bruit, tu vas réveiller le bébé du voisin » (qui ne nous entend pas, c'est évident !) ;
— « Il est trop tard, la télé fait dodo... » ;
— « Ben non, il n'y a pas d'épinards dans la soupe, c'est un ingrédient secret que sont venues porter les fées de la forêt. »

Combien de détours fait-on chaque jour pour éviter les crises, pour calmer le jeu ? Combien de fois avez-vous « perdu » un jouet que vous n'aimiez pas ? Combien de fois le parc est-il « fermé » chez vous ? Chez moi, il n'ouvre vraiment pas souvent, on n'est pas chanceux !

De tous temps, les parents ont utilisé des mensonges (ou des demi-vérités ?) pour faire obéir la maisonnée. J'entends encore ma mère me dire de ne pas manger de pommes avant de me coucher : « Tu vas faire des cauchemars ! » Ben oui ! (mais bon, dans son temps, on y croyait, à ce genre de trucs !). Aujourd'hui, c'est en toute connaissance de cause que nous mentons à nos enfants.

Si bien que les psys ont trouvé un nom à ce nouvel art parental : le *Pinocchio Parenting*.

Est-ce parce que nous avons moins de temps à consacrer à nos enfants et que nous préférons choisir nos combats ? Mentir, choisir la voie de la facilité, plutôt que d'expliquer en sachant pertinemment que les explications représentent un cycle infernal de questions et que, tôt ou tard dans la conversation, on utilisera un mensonge pour régler la question...

Selon les psys, chaque fois que nous ne disons pas la vérité à nos enfants, nous contribuons à augmenter leur insécurité, nous manquons une occasion de les ouvrir sur le monde, nous ne faisons pas appel à leur intelligence.

Mais toute vérité est-elle vraiment bonne à dire ?

Publié le 5 septembre 2008 par Nancy

Modèle 2005 avec défaut de fabrication

Lorsqu'on se promène sur la rue avec PetitLoup, trois ans et demi, les gens se détournent souvent sur notre passage. On le dévisage, on nous dévisage, l'air horrifié devant l'apparence de notre fiston. Non, il n'a pas de handicap ou de malformation physique attirant les regards sur lui. C'est le plus beau des petits garçons (à nos yeux du moins), mais il a un petit défaut de fabrication… Depuis près d'un an et demi, il trippe « princesse ». Il n'est donc pas rare qu'on sorte avec un PetitLoup maquillé ou partiellement déguisé en princesse, traînant avec lui sa magnifique poupée Cendrillon qui fait de la musique.

énervante comme c'est pas possible, bien sûr!

On a souvent l'impression, à entendre les commentaires des autres, que nous avons quelque chose à voir là-dedans ou qu'à tout le moins on devrait donc « faire quelque chose ! ». Certains amis, plus compatissants, nous rassurent en nous disant que c'est l'admiration qu'il a pour sa grande sœur de deux ans son aînée qui influence ses goûts et intérêts et que ça lui passera. J'aimerais bien le croire. Mais quand je regarde les deux petits Boum-Boum qui sont dans son groupe à la garderie, et qui ont aussi des grandes sœurs, je suis à peine rassurée, je l'avoue. J'ai peur pour mon fiston, peur qu'il devienne la risée de ses copains, qu'il se fasse ridiculiser, ou même rejeter. Et je veux le protéger de tout cela, c'est certain !

Il y a quelques semaines, me sentant très (z)imparfaite comme maman, j'ai fait appel à une intervenante que j'estime beaucoup pour avoir son point de vue sur la dynamique de PetitLoup. J'ai aussi discuté avec Choupinette, lui expliquant comment son petit frère, en grandissant, pourrait se faire taquiner avec ses robes de princesse. On l'a mise dans le coup, et notre grande fille sage a elle-même proposé de trouver d'autres jeux à faire avec son frère.

On n'avait pas encore reçu le courriel de réponse de l'intervenante interpellée que PetitLoup, de son côté, avait trouvé le moyen de dédramatiser tout cela. Il s'est fait prendre en flagrant délit à la garderie. Couché sur une petite fille, à la bécoter à qui mieux mieux. Bon… Ai-je paniqué trop vite, moi là ?

Publié le 17 septembre 2008 par So, (Z)imparfaite invitée

À bas les s'il vous plaît !

Assise tranquille dans la salle d'attente du dentiste pendant que MissLulus se fait réparer une molaire, je savoure ce temps béni pour me plonger dans le même roman que je traîne depuis des mois.

Humm ! La paix. Tout le monde chuchote. Je me surprends à espérer que l'« opération » soit longue.

Puis, tout à coup, cris, « chignage » et voix étranges : « Ahhhhhhhhhh c'est maaaaaaaaa catapulteeeeeeeee ! Wouaaaahhhh ! Au secourrrrrrs ! » et « Brrrrrrrr ! Paf ! Sclak ! Je vais te tuerrrrrrr ! » Je reconnais un enfant qui exagère les actions de personnages fictifs comme un mauvais épisode de *Maya l'abeille* où tout le monde crie, hurle et se lamente en boucle. Je me dis que le parent va intervenir dans la nano-seconde qui suit. Je lève les yeux. La mère ne bronche pas. Elle est plongée dans son roman. Euh ? Juste le temps de me questionner que je la vois relever sa tête. « Ahh, elle va intervenir ! Servir un puissant « tais-toi » ou « baisse le ton » à son fils, que je me dis, trop optimiste. Elle dépose son livre sur ses genoux, se penche vers l'avant en croisant ses mains sur ses cuisses et prend une petite voix gnangnan pour s'adresser à son garçon d'au moins huit ans, sur le même ton que si elle parlait à un nouveau-né :
— Marc-Alexandre, mon chéri, pourrais-tu s'il te plaît parler un peu plus bas ?
« Mon chéri ? ? »
« Pourrais-tu ? ? »
« Un peu ? ? »
« Plus bas ? ? ») Aaaaahhhhhh !!!

J'ai failli m'évanouir. Depuis quand dit-on « mon chéri » quand on veut lancer un message clair ? Depuis quand ajoute-t-on un « SVP » quand on chicane notre enfant ? Qui suggère à son enfant qu'il y a plus d'une réponse possible avec un « pourrais-tu » ? Dire « plus bas », est-ce une pseudotactique pour ne pas entacher son estime de soi en lui balançant « Moins fort ! » ?

Voyons donc ! Les parents qui ajoutent des « SVP » à leurs demandes, comme ceux qui réprimandent leurs enfants à coups de « mon poussin », « mon amour » ou autres dérivés mielleux, m'exaspèrent. Ça anéantit toute tentative d'asseoir une portion d'autorité. Et surtout, le tout ouvre une porte à la négociation. Et quand on veut vraiment se faire écouter, la dernière chose qu'on veut, c'est se mettre à négocier...

Servir des « SVP », c'est quémander leur participation, espérer que pour une fois ils daignent nous écouter, nous interroger s'ils ont le temps et le désir de bien vouloir (si cela ne les embête pas trop), se plier à notre douce demande, etc. C'est être mou, voilà tout ! Bref, comme parents, c'est d'emblée s'assurer d'une défaite. La preuve : Marc-Alexandre n'a pas bronché et il a continué à faire hurler ses personnages.

Sa mère aurait-elle pu lui servir un clair « Baisse le ton ! » ?

Marc-Alexandre n'aurait pas été traumatisé pour les années à venir et j'aurais pu finir ma lecture tranquille.

Publié le 6 février 2009 par Nadine

Le bureau : zone interdite aux enfants

(fantasme...)

Ce que je déteste le plus (OK, peut-être pas le plus, mais c'est dans mon *top 5*, disons...), c'est d'entendre une petite voix enfantine s'exclamer à l'intérieur des murs de MON bureau alors que je travaille paisiblement, loin de tout souci parental...

« Aaaarrggghhh ! » et je me lève alors avec fureur pour voir qui a bien pu emmener son enfant au boulot ce matin.

Et invariablement, celui ou celle qui a commis ce délit trône au sommet de la hiérarchie ou compte parmi les mieux nantis de la place... Pas assez de fric pour se payer une gardienne, une nounou ? Pas de mamie, pas de voisine ? Pas capable de trouver une halte-garderie dans les Pages jaunes ? Pas assez d'amis sur Facebook ? Impossible de travailler de la maison ?

Il me semble qu'il y a toujours moyen de trouver une solution plutôt que d'embêter ses collègues avec une fillette en mal d'attention ou un hyperactif incontrôlable. Si les autres collègues avec enfants sont capables de s'organiser, pourquoi pas toi, parent-trop-important-pour-prendre-une-journée-de-congé ?

Car le parent dépourvu de solutions ne vient pas au boulot avec son enfant pour s'en occuper, il vient pour travailler. Alors qui doit sortir les crayons, fournir les feuilles et emmener le petit acheter un jus à la cafétéria ? Toujours la collègue qui pense marquer des points et impressionner ledit parent à grands coups de cocotte par-ci et de guili-guili-prout-prout par-là ! Vous vous imaginez bien que ce n'est pas moi qui joue ce rôle, mais juste d'assister à la représentation me donne des boutons.

Mais le pire, c'est quand le parent a la « bonne » idée de faire une tournée générale afin de présenter « la prunelle de ses yeux » à ses collègues. « Oh non, ils sont à deux bureaux du mien, vite aux toilettes ! » Et si la tournée de présentation officielle est au programme du jour, l'enfant sera inévitablement habillé et coiffé comme un panneau publicitaire de Souris Mini. Tellement prévisible...

— « Dis ton âge à la madame, Sandrine-Océane... »

Eh bien, sache que la madame, elle s'en tape, de ton âge ! Elle en a tout plein comme toi à la maison et, pour l'heure, elle voudrait être tranquille !

Et le pire du pire, c'est qu'on nous les amène pleins de microbes, ces marmots ! Tousse-tousse, renifle-renifle ; on n'est pas dupe, « Super Papa ». On le sait trop bien que si tu débarques avec ton enfant sur les bras, c'est qu'on l'a refusé à la garderie ou à l'école ce matin.

Merci de venir nous contaminer... et de nous mettre dans l'embarras ! Car quand on aura contaminé les nôtres, on devra remuer mer et monde pour trouver une solution digne de ce nom afin de pouvoir venir passer une journée tranquille au bureau malgré des enfants sur le carreau !

Publié le 18 septembre 2008 par Nancy

Lâchez-moi le QI !

Le bébé vient de naître et voilà qu'on nous brandit le test d'Apgar. Sans le savoir, ces trois petits chiffres seront les premiers d'une grande lignée. Alors qu'il régurgite plus qu'il ne babille, alors qu'il remplit les couches plus qu'il ne..., une force obscure l'analyse. Le scrute. L'observe. L'évalue. Et pour faire sérieux, on parle en points de QI. À quelques mois. Il est allaité. Bravo ! Dix points de plus. Il mange bio. Quinze points. Il a fait pipi sur le pot à 13 mois. Cinq points. Il philosophe adroitement. Quinze points. J'exagère. Mais si peu.

On ne tient plus contre son cœur un minuscule poupon, mais un génie en puissance. Potentiellement. Car le QI semble de nos jours largement influencé par les soins qu'on lui donne et les produits qu'on achète. Manigance pour manipuler les parents avec plus d'aisance. Voyez les gammes de produits éducatifs pour les moins de six mois qui abondent dans les magasins de jouets. ÉDUCATIF à six mois ? Du calme ! Baby Einstein n'existait pas dans notre temps ; notre QI a-t-il flétri pour autant ?

Et depuis quand le QI est-il important ? Il y a quelqu'un qui met son score sur son CV ? Qui a besoin de glisser son QI dans une conversation ? Et vous le connaissez, votre quotient intellectuel ? Vous dormez bien, malgré tout ? Y a-t-il quelqu'un qui croit réellement qu'avoir un QI éclatant fait de lui une personne intéressante ?

Qui le connaît ? pourquoi ?

Moi, c'est le contraire. Chaque fois qu'une étude argumente à coups de points gagnés sur le QI et chaque fois qu'un produit vante ses retombées sur l'intelligence de mon enfant, je doute. Ça doit être mon QI exceptionnel qui flaire la manigance...

Publié le 1er avril 2009 par Nadine

Célébrer tes choix de vie

La neige de février m'a toujours déprimée. Il me semble que l'hiver agonise et est totalement interminable. En plus, j'ai beau faire toutes les pirouettes imaginables avec notre budget : impossible de s'expatrier dans le Sud. Alors, je me résous à prendre mon mal en patience en misant sur le chocolat chaud, les raclettes et les soirées cinéma bien collés en famille pour me faire oublier le sable et le soleil. J'y arrivais. Avec peine, je l'avoue (je verdis de jalousie chaque fois que je vois une amie — célibataire, faut-il le préciser — boucler ses valises pour aller déposer ses fesses sur une plage dorée...), mais j'y arrivais.

Jusqu'à ce que Papa (im)parfait revienne à la maison avec en main une invitation. Un obscur ami se marie. Du genre ami du cégep retrouvé depuis quelques années, mais dont l'amitié se limite au match de hockey hebdomadaire. Bref, ledit ami se marie.

Ouinnnnnn.... PIS ? ? Je n'en veux pas de son invitation. Je ne veux pas aller le voir dire OUI. Je ne veux pas d'une soirée perdue pour un vulgaire enterrement de vie de garçon. Je ne veux pas que sa future épouse se sente obligée de m'inviter à sa soirée prémariage. Je ne veux pas payer une gardienne pour qu'on aille perdre notre temps — euh... assister à leur mariage ! Je ne veux pas m'acheter une robe que je ne remettrai jamais. Je ne veux pas leur donner 250 dollars en cadeau en échange d'un bon souper. À ce prix, je préférerais aller dans un resto que J'AI choisi. Je ne veux pas perdre un samedi d'été pour aller à une « fête » où je ne connaîtrai personne. Je ne veux pas faire semblant

sûrement le plus beau!

d'être souriante et contente d'être là. Je ne veux pas. Je ne veux pas, BON!!!

C'est à ce moment que j'ai réalisé qu'avec tous les cadeaux que j'ai donnés à tous ceux qui se sont fiancés*, mariés (ajoutez deux enterrements de vie de fille/gars!) et qui ont célébré le *shower*, la naissance, le baptême et les anniversaires du bébé, j'aurais pu me payer des vacances dans le Sud pour briser la monotonie de février. Et pas juste une semaine. Deux semaines. Pour quatre. Dans un «tout inclus» cinq-étoiles. Je me suis mariée, moi? Ai-je fait baptiser les enfants pour me téter de nouveaux cadeaux? Est-ce que j'ai eu besoin de réunir 45 personnes pour un *shower*?

eh oui, ça existe encore!

Je sais que j'ai l'air *cheap* — j'ai mon voyage dans le Sud de travers dans la gorge —, mais ces personnes qui nous assomment d'invitations à venir partager leur journée d'amour ou célébrer leur bonheur m'ont-elles déjà appelée pour me demander comment j'allais ou pour m'inviter à souper chez elles? Ont-elles déjà offert ne serait-ce qu'une bébelle du Dollarama à mes enfants?

Ça ne paraît peut-être pas comme ça, mais je ne suis pas une grincheuse. J'aime les fêtes et les occasions de se retrouver en famille ou entre amis. Préparer un party me met de bonne humeur. J'aime les rituels qu'on se crée en petit groupe tricoté serré. Ça renforce nos liens, ça nous rend infiniment heureux et ça nous fait une foule de souvenirs à raconter plus tard. Mais je n'en peux plus de célébrer le choix de vie des collègues, des cousins éloignés, des amis retrouvés, des lointaines connaissances, etc. J'ai un profond malaise avec les invitations des pseudo-amis qui se sentent obligés de nous inviter à leur réception (pourquoi? Je ne serais pas insultée qu'on ne m'invite pas!! Sachez-le!), j'ai de la difficulté à refuser... Mais ce temps est révolu. Dorénavant, je garde mes sous pour un voyage dans le Sud. Et je promets solennellement qu'une fois sur la plage, je vais lever mon verre de rhum&Coke à la santé de tous ceux qui m'auront invitée à célébrer leur choix de vie auquel je n'aurai pas assisté !

Tchin tchin !

Publié le 24 février 2009 par Nadine

La Charte « grossesse et accouchement » des (Z)imparfaites

Accoucher est l'épreuve finale de la grossesse et la première de notre vie de maman. Mais les neuf mois qui précèdent ce terrible (euh… magique ?) événement sont riches en émotions, colères vives et explosions impromptues. Et on devient soudainement le centre d'attraction et la cible de commentaires (Ô combien !) insignifiants.

À partir d'aujourd'hui, les (Z)imparfaites vous donnent le droit de :

❏ Prétexter « oh, ha ! » une petite contraction pour abréger un souper de famille interminable ;

❏ Ne pas porter le linge de maternité défraichi prêté « généreusement » par votre belle-sœur ;

❏ Des cours prénatals ? Oubliez ça et allez au resto tranquille. Ne gaspillez pas ces précieux moments de liberté ! ;

❏ D'être bête et méchante en toutes circonstances. Profitez-en, vous pouvez faire passer ça sur le dos de vos hormones de grossesse ! ;

❏ Manger des sushis quelques jours avant la DPA. Ben quoi ! Les malformations ne s'attaquent pas aux bébés déjà formés ! ;

❏ Aux inconnus qui vous demandent : « C'est pour bientôt, ce beau p'tit bébé-là ? », de répondre : « Le mois dernier… Il n'est pas vite, que voulez-vous ! » ;

Arrêtez de m'appeler!

- ❏ Enregistrer un message clair sur le répondeur: « Non, je n'ai pas encore accouché. J'ai juste envie de parler à personne! »;
- ❏ Ne pas laver le plancher à quatre pattes. Ça ne marche pas. Alors, pas besoin d'essayer;
- ❏ Faire un décompte des jours avant votre prochain verre de vin.

L'heure nous dit si on est parent (ou non!)
Tu te sens pompette, il est 19H15
zzz
porto
2009
Tu ouvres le porto après un repas, il est 19H47
Tu as l'impression d'avoir veillé toute la nuit, il est 22H10
Tu fais la grasse matinée, il est 7H08

Super, les nausées !

À partir de quel moment la pression de performance commence-t-elle à s'abattre sur la future mère ? Quand commence-t-on à faire des comparaisons, à entendre des commentaires culpabilisants et... franchement inutiles ?

À bien y penser, la compétition s'amorce avant même la conception : « J'ai été enceinte dès le premier mois sans contraceptif, et toi ? » En effet, si on a le malheur de tarder à tomber enceinte, le bal des commentaires débute... Chaque mois qui s'ajoute apporte son lot de « Tu devrais essayer ceci » et de « Tu devrais manger cela ».

Puis, une fois le test positif, ça recommence de plus belle...

Un point de comparaison totalement inutile : les nausées. En avoir ou pas. « Aaahh, moi, je n'ai pas eu une seule nausée ! J'ai eu une grossesse parfaite ! » Combien de fois ai-je entendu ce commentaire alors que, chaque matin, pendant trois longs mois, je vomissais sur le mur de ma chambre, n'ayant pas eu le temps de me rendre à la salle de bain pour y larguer mon surplus d'hormones maternelles... J'avais beau prendre du Diclectin, mes nausées matinales me suivaient au bureau, et ce, jusqu'à mon retour à la maison. Les odeurs du métro me répugnaient et le seul moyen que j'avais trouvé pour réussir à compléter le trajet Place-d'Armes-Angrignon sans éclabousser un passager était de respirer... le contenu d'un sac de chips au vinaigre !

Et là encore, pas moyen de ne pas attirer les regards désapprobateurs. « Ben oui, je suis enceinte et je mange des chips au vinaigre. Désolée, le tofu n'a aucun effet antinauséeux ! »

De toute façon, nausées ou pas, comme si ça changeait quelque chose...

Eh bien, oui!!!

Selon une étude menée à Toronto, plus les femmes ont de nausées matinales lors des premiers mois de grossesse, plus leurs enfants seront intelligents. Rien de moins! Une étude déculpabilisante? On aime ça!!!

Un conseil: gardez cette information primordiale à portée de main. La prochaine fois qu'une amie se vantera de ne pas avoir eu un seul haut-le-cœur, vous aurez une réplique toute prête!

yeah!

Publié le 29 avril 2009 par Nancy

En amour avec sa bedaine

L'été dernier, je revois une ex-amie que j'avais perdue de vue depuis plusieurs années. Enceinte jusqu'au nez, dilatée à quatre centimètres, le bouchon muqueux qui... (bon, vous avez compris !). Madame se repose et se dorlote depuis qu'elle a appris la bonne nouvelle, question de donner le « maximum » à Bébé. La belle excuse…

depuis huit mois!

« J'aime teeeeellement ça être enceinte. Je me suis massé la bedaine tout l'été entre deux saucettes dans la piscine. Pas une vergeture ! Regarde-moi ça ! (et hop ! le chandail hyper moulant qui est remonté jusqu'aux seins !). Tu as vu mes seins ? Mon chum est tellement excité. Je les masse, je les huile, je les crème, je les… » OK, on a pigé ! « Je ne me suis jamais sentie aussi bien et aussi belle qu'avec ma bedaine. Je peux pas croire que je vais accoucher dans deux semaines et que je vais la perdre… »

La perdre ?! Euh… le but de la chose n'est-elle pas de la PERDRE, justement ? Si tu veux une bedaine éternelle, mange de la poutine, chérie ! Là, tu es enceinte, et le but ultime, c'est d'expulser ce qui cause ton embonpoint.

Mais sa bedaine lui procure tellement d'avantages... Elle lui permet tous les excès, elle lui mérite toute l'attention, elle lui permet de se faire chouchouter par son chum qui n'était pratiquement jamais dans le décor auparavant, et elle lui a permis — enfin ! — de porter du 34C alors qu'elle était abonnée au 32A !

Malheureusement, je n'ai pas eu la chance de la croiser à nouveau après la triste disparition de sa bedaine. Ce qui m'a privée d'une vision réconfortante : celle de son petit mou dans le bas-ventre, de ses cernes causés par les nuits blanches et de ses seins dégonflés postallaitement. Bon, peut-être pas… mais laissez-moi rêver !

Publié le 28 juin 2008 par Nancy

Bébé Académie

En lisant le journal en début d'année — de *La Presse* au maigre *Courrier du Sud* —, on tombe inévitablement sur la photo du premier bébé de l'année. Chaque fois, j'ai un frisson. Je suis plongée quelques années en arrière, alors enceinte de MissLulus. Je me rappelle qu'après avoir fait le fameux test pipi, je me suis précipitée sur les sites Internet qui calculent en une fraction de seconde la date prévue d'accouchement. Je n'avais pas le temps de sortir l'équation algébrique qui ressemble à la date du jour des dernières menstruations + 7 jours - 3 mois + 1 an...

« Il doit y avoir une erreur avec leur logiciel », que je tentais de me faire croire. J'ai recommencé. Et recommencé. Encore. Encore. J'ai mis la faute sur le calcul différent en Europe qu'ici. Mais non. J'étais bien sur un site canadien. Nooooooonnnnn ! Le verdict : 31 décembre.

Moi qui suis née début décembre et qui ai eu une forte concentration de cadeaux durant cette période et une loooongue période d'attente de 11 mois ensuite, je ne voulais pas avoir un bébé durant le temps des fêtes. Les pires dates auraient été le 24 ou le 25 décembre. Mais le 31 en est une autre quand même !

Et si je n'accouchais qu'à minuit le 31 ?... La perspective de voir débarquer tout l'attirail des photographes et des journalistes dans ma chambre me donnait la nausée. Je ne voulais pas avoir LE bébé de l'année. Ma face postaccouchement dans le journal ? Mon toupet collé par la sueur sur mon front à la une ? Mon sourire *fake* encore engourdi par la dernière contraction ressentie et mon bébé fraîchement libéré de mon utérus se promenant dans les journaux ? *No way !* Mes réactions à froid ? Il n'en était pas question. Je l'ai même écrit dans mon plan de naissance pour être bien sûre de ne pas me faire achaler si jamais le destin s'acharnait sur moi.

Finalement, j'ai tellement espéré, prié, visualisé, projeté, etc., pour ne pas accoucher à cette date que je me suis fait avoir quand même. J'ai accouché huit jours APRÈS. J'étais au bord du désespoir. Je pleurais chaque maudit matin en voyant que j'avais dormi toute ma nuit et que des contractions ne m'avaient pas réveillée (faut être désespérée pour rêver d'avoir des contractions !!). J'ai fait trois fois les Promenades St-Bruno à pied, visité le Jardin botanique et ses poinsettias flétris, l'Insectarium et ses bibittes laides, pris 12 marches par jour : rien n'y faisait. MissLulus finissait sa manucure avant de daigner sortir. Elle avait entendu mes incantations ? Peut-être. Finalement, c'est la journée où le verglas était partout sous trois pouces de neige qu'elle s'est pointée le bout du nez. Je n'avais pas LE bébé de l'année. J'étais heureuse. J'avais MON bébé... et c'est tout ce qui comptait. Après 41 semaines, il était temps...

faut-tu être niaiseuse!!

Publié le 8 janvier 2009 par Nadine

La Charte des (Z)imparfaites en post-partum

Pour éviter le post-partum, les (Z)imparfaites ont ajouté des clauses top secret à la Charte pour que tout se passe bien. Pas question de « perdre » des semaines précieuses de congé de maternité à broyer du noir.

À partir d'aujourd'hui, les (Z)imparfaites vous donnent le droit de :

- ❑ Vous tenir loin de toutes les mères parfaites qui distribuent les conseils débutant toujours par « Moi, je... » ou par la tout aussi fatigante variante : « Mon bébé, lui, il... » ;
- ❑ Avaler des capsules de sauge pour stopper net la production de lait maternel et passer au biberon au plus vite ;
- ❑ Prétexter une gastro familiale pour éloigner les visiteurs indésirables ou sauter une visite chez la parenté ;
- ❑ Apporter la balançoire de Bébé en visite pour avoir la paix ! ;
- ❑ Prétexter un début d'anévrisme pour forcer Papa à se lever la nuit, et la nuit suivante, et... ;
- ❑ Vivre dangereusement au quotidien sans ouvrir le sacro-saint *Mieux vivre avec son enfant* ;
- ❑ Faire une cérémonie tribalo-néo-materno et brûler le *Mieux vivre*... (et vos culottes de maternité !) en dansant autour du feu... ;

- ❑ Oser dire qu'après un accouchement d'une durée de 24 heures, on n'a pas ressenti cet « élan d'amour pur et inconditionnel » pour notre enfant… ;
- ❑ Des céréales à trois mois ??? Non, ça ne tue pas ! ;
- ❑ Oser dire publiquement (bon, socialement !) avoir allaité quatre jours et ne pas avoir aimé ça… ;
- ❑ Étirer le temps au Jean Coutu pour vous donner l'illusion d'une vraie sortie ;
- ❑ Tester rapidement les grands-parents en faisant garder Bébé avant son premier mois.

Stériliser les biberons : ah oui ?

Ça devait faire quatre semaines que, épuisée à la fin d'une journée de ma nouvelle vie de mère de triplés fraîchement sortis de l'incubateur, je m'entêtais à suivre à la lettre chacune des étapes que m'enseignait mon nouveau livre de chevet, l'incontournable *Mieux vivre avec son enfant*, qu'on vous refile avec une joyeuse tape dans le dos à la sortie de l'hôpital.

J'en étais donc au chapitre de la stérilisation des biberons (en 2003, ce chapitre n'avait pas encore été supprimé du livre, on vivait dangereusement !) : eau bouillante, laisser tremper cinq minutes, laisser sécher sur un linge propre, séparer les tétines des anneaux, les anneaux des couvercles, les couvercles des bouteilles... À surveiller le moindre cerne de lait séché dans le creux de la tétine, à retirer la moindre poussière qui osait s'approcher de mon bout de comptoir sous haute surveillance, quand j'ai flanché. Devant moi s'étalaient les composantes des 24 biberons que je préparais et stérilisais quotidiennement. Quatre-vingt-seize pièces à rincer, tremper, sécher, assembler, remplir de lait (préalablement préparé avec de l'eau bouillie refroidie juste ce qu'il faut) et entreposer au frigo pour être en mesure, le lendemain, de nourrir trois bébés affamés aux trois heures. Et tout le manège recommencerait le jour d'après, et ce, pour au moins huit mois ! L'activité « stérilisation » se répéterait pas moins de 240 fois !!!

Oui, 96 !

Dès que j'ai fait ce calcul, j'ai décidé d'écrire cette annexe pour la prochaine édition du *Mieux vivre avec son enfant* sous le chapitre « Parents de triplés » (inexistant lui aussi : ça n'a rien à voir avec les jumeaux !) :

Pour stériliser un biberon, retirer toutes ses composantes et faire tremper dans de l'eau savonneuse (le savon à vaisselle fait très bien l'affaire), puis rincer à l'eau chaude sous le robinet et essuyer avec un linge à vaisselle à portée de main.

Résultat : aucun vomissement, pas l'ombre d'une diarrhée, zéro coliques... Et une heure de sommeil en plus chaque jour !

Publié le 1er juin 2008 par Nancy

Besoin d'un truc pour dormir ?

Ce qui est vraiment — et de loin ! — le plus difficile dans la vie d'un nouveau parent et qui nous rentre dedans comme un bulldozer, c'est le manque de sommeil. Deux nuits blanches de suite et on lève le ton, une troisième et on devient hystérique, quatre d'affilée et on est prête à secouer n'importe quel bébé.

Et comme le sommeil de papa et de maman dépend de celui du rejeton, il importe de mettre en place les meilleures conditions pour que Bébé ait un sommeil d'ange. La base est simple : une doudou, une musique douce, un ti-mobile, un rituel de mise au dodo et hop ! c'est tiguidou !

Mais dans la vraie vie, ça ne MARCHE PAS ! À tout cela, il faut ajouter ceci :

— Bercer Bébé jusqu'à l'endormissement... du parent ;

— Brasser tendrement la couchette/le berceau de bébé jusqu'au premier signe de tendinite et, si on a le malheur de s'arrêter trop tôt et de provoquer le réveil de Bébé, recommencer le même manège jusqu'au premier signe de tendinite dans l'autre bras ;

avec moins de tendresse dans le mouvement...

— « Recrinquer » le maudit mobile huit fois de suite en se demandant pourquoi on n'a pas acheté celui qui venait avec une télécommande même si on trouvait ça tellement aberrant qu'un truc pareil existe ! ;

— Placer délicatement un sac magique bien chaud sur Bébé aussitôt qu'il touche le matelas et engueuler Papa en chuchotant (un art parental qui se raffine avec les années !) s'il n'a pas été totalement synchro, provoquant ainsi le réveil de l'héritier ;

— Donner un troisième biberon de huit onces à Bébé alors qu'il est couché dans sa couchette malgré tous les avertissements

des pédiatres, dentistes, nutritionnistes, psychologues, psychiatres et oto-rhino-laryngologistes ;
— Coucher Bébé dans un parc dans la salle de bain en laissant couler le robinet (d'eau froide, quand même !) toute la nuit (je l'ai fait à plusieurs reprises : les plus belles nuits de ma vie de nouvelle maman !).

Et quand Bébé nous fait l'honneur de s'endormir, c'est à notre tour de ne pas trouver le sommeil. Sursautant au moindre toussotement, tendant une oreille désespérée au moindre commencement d'un similidébut de pleurnichage.

Et puis, quand on se sent enfin sombrer dans les bras de Morphée… « OAIIINNNN !!! » C'est à ce moment qu'il faut jouer l'ultime carte ! Si les papas maîtrisent tous (c'est un gène masculin !) l'art de feindre la perte subite d'audition, les mamans peuvent y aller à fond sur la migraine (« Je ne peux pas me lever, chéri, ça va me briser le crâne ! »), sur les compliments (« Vas-y, tu as plus le tour que moi avec lui ! ») ou sur la menace (« Vas-y, sinon ça va te coûter cher de pension alimentaire ! »).

En désespoir de cause, TriplePapa et moi avons pathétiquement fait des Roche-papier-ciseaux à toute heure de la nuit pour déterminer qui se lèverait pour rendormir Bébé numéro un… qui finissait toujours par réveiller Bébé numéro deux, puis Bébé numéro trois.

Si, après avoir tout recommencé du début, la cacophonie restait totale, on remettait les trois nourrissons chignant, hurlant ou bramant dans leur couchette, on mettait la radio à plein volume à CJPX Radio-Classique et on s'endormait tous les cinq au son de la voix de Jean-Pierre Coallier annonçant une énième symphonie de Mozart.

Publié le 12 juillet 2008 par Nancy

Bébé câblé

La scène se passe un vendredi soir. Mon chum est sorti, j'allaite Bébé sur le divan en pitonnant devant la télé. Radio-Canada passe un film que j'ai déjà vu, je me retrouve à TVA et commence à regarder un reportage à *J.E.* Ce n'est pas passionnant, mais c'est mieux que rien.

Dix minutes plus tard, *J.E.* passe soudainement au noir et blanc. Je change de poste, reviens à TVA. Rien à faire. Michel Jean est toujours noir et blanc. J'endure, jusqu'à ce que ça empire quelques minutes plus tard. «*NO SIGNAL*», me dit ma télé, qui refuse de retransmettre quoi que ce soit provenant de TVA. *Black-out* total.

Bon, c'est quoi le problème ? Je me résigne à aller voir ce qui passe à Télé-Québec. Au programme en ce vendredi soir : de la neige avec des voix que l'on entend à peine.

Bébé tète toujours avec un bonheur évident ; moi, j'enrage. Il faudrait aller bouger l'antenne de télé pour que je puisse capter TVA comme il faut et avoir espoir de voir ce que diffuse Télé-Québec. Pourtant, je n'habite pas au fin fond d'un rang de campagne. Je suis à Montréal, sur l'île, à moins de dix kilomètres des antennes des principaux diffuseurs. Et mes oreilles de lapin ne suffisent pas !

Je dois me rendre à l'évidence : même si je vis en appartement depuis neuf ans sans le câble et que je m'en portais très bien jusqu'à aujourd'hui, cette époque est finie. Vidéotron pourra très bientôt me compter au nombre de ses clientes.

Mais je ne rends pas les armes pour autant. Je m'engage à militer pour que les femmes en congé de maternité obtiennent gratuitement un abonnement au câble. Parce que laisser une mère confinée à la maison à -30 degrés Celsius regarder *Shopping TVA*, ce n'est pas humain.

Un bébé, ça doit être câblé. Tous avec moi : so, so, so, solidarité !

Publié le 22 janvier 2009 par Marie-Ève, (Z)imparfaite invitée

Album de bébé : de la pure fiction !

Petite, je dois avoir feuilleté mon album de bébé au moins 1 000 fois. Et chaque fois, je m'émouvais de la précision chronologique avec laquelle était décrite ma petite évolution personnelle et je m'étonnais des riches détails que contenait chacune des rubriques. J'ai toujours été touchée par le soin maniaque dont a fait preuve ma mère pour remplir ce précieux livre, page après page.

Quand j'ai su que j'étais enceinte, je m'imaginais déjà décrire les premières années de mes héritiers dans ces petits albums roses et bleus... Pire, je me voyais déjà en train de les feuilleter avec mes enfants, comparant la longueur de leurs empreintes de pieds, effleurant leur première mèche de cheveux coupée...

J'ai déchanté dès le premier jour: « On ne fait plus ça, des empreintes de pieds, madame ! » me suis-je fait dire à l'hôpital...

Et avec mes triplés, en moins de 48 heures, j'avais déjà perdu le compte. Qui boit combien d'onces (ma mère avait commenté tous mes boires pendant trois mois !). Qui a ouvert les yeux après combien de jours ? Qui a serré le petit doigt de Papa ? Qui a fait un sourire ? Qui aime quel hochet, toutou, doudou ? J'ai vite été dépassée par les événements et, même si j'ai pris la peine de noter quelques progrès significatifs sur des post-it ici et là, je ne sais plus à quel bébé les attribuer !

Si bien que, cinq ans plus tard, j'ai dû me résigner à appliquer l'équation suivante afin de pouvoir compléter mes trois albums de bébé : 10 % de souvenirs et 90 % de pure fiction !

Et avec le tout par écrit, j'ai l'avantage de pouvoir maintenant m'y référer chaque fois que les enfants me posent des questions et… je ne risque plus de me tromper dans mes mensonges!

Publié le 29 décembre 2008 par Nancy

Transformation extrême... entre le premier et le deuxième enfant

Parfois, je me demande ce qui s'est passé dans mon cerveau entre ma première et ma deuxième expérience de nouvelle maman...

Quand Choupinette était toute petite, je paniquais quand ma mère partait faire une marche avec sa poussette et qu'elle revenait trois minutes, vingt et une secondes en retard.

Avec PetitLoup, c'est moi qui étirais le temps avant d'aller le chercher chez sa mamie. Une allée de plus où fouiner chez Jean Coutu ? Après tout, je trouverai certainement quelque chose **d'absolument essentiel** à acheter (on trouve de tout, même un ami !). Ça me fera une bonne excuse à donner à ma mère pour justifier mon retard.

Quand on a introduit les purées avec Choupinette, je suivais religieusement le guide remis par la nutritionniste du CLSC. Trois jours par type de purée avant de passer à la variété suivante, et honte à mon chum qui voulait lui faire goûter deux trucs différents le midi et le soir sous prétexte que nous, on n'a pas toujours le goût de manger la même chose !

À PetitLoup, les purées ont duré, hum ! hum ! un bon trois semaines (faut dire qu'il a commencé à plus de six mois). Il a sauté dans l'assiette de sa sœur et s'est mis au pâté chinois, au bouilli de légumes et au spaghetti pas trop épicé avec nous. Tellement plus simple !

Choupinette a porté des cache-couches sous ses vêtements trois saisons par année jusqu'à… ce que je n'en trouve plus de sa taille (c'est-à-dire, plus de deux ans !). Si j'en avais trouvé de plus grands pour l'automne suivant, je suis convaincue que j'aurais continué !

PetitLoup en a porté son premier hiver, puis ensuite… quand j'en avais des propres ou quand j'en trouvais un de la bonne taille (je n'avais pas eu le temps de faire le tri des vêtements dans ses tiroirs depuis sa naissance !). Jusqu'à ce que je me dise que, finalement, c'était un peu hystérique de lui mettre cela au mois de mai, à 18 degrés Celsius à l'extérieur.

Bref, je pourrais poursuivre dans la même veine à l'infini à l'aide d'exemples que j'aurais crus tous plus improbables les uns que les autres.

Que dire si j'en avais un troisième ?

Publié le 14 décembre 2008 par So, (Z)imparfaite invitée

J'ai jamais demandé ça

Les deux échographies que j'ai eues quand j'étais enceinte n'ont rien laissé paraître. C'est seulement quand elle a eu environ trois mois que j'ai découvert que ma fille était née avec une option que d'autres n'ont pas : un système antivol.

Jusqu'ici, le système est assez infaillible. Dès que Bébé se retrouve dans des bras autres que ceux de son père ou de sa mère, le système antivol se déclenche : des cris stridents se font entendre, les yeux se ferment totalement, ne laissant pas paraître les mini-ouvertures par lesquelles des larmes s'écoulent.

Ça crie, et ça crie, et ça crie.

La personne qui a alors tenté d'enlever le bébé ressent un malaise indescriptible, qui la force à redonner l'objet à ses parents.

Le système antivol se désactive alors : Bébé sourit à pleines gencives.

Je vous jure, j'ai pas payé une cenne de plus pour cette option.

En fait, j'ai jamais demandé ça.

Je retournerais bien Bébé d'où elle vient pour faire désactiver ça, mais je sais pas comment.

Oui, Bébé a vu une panoplie de gens quand elle était petite et continue de fréquenter de nouvelles personnes ; non, Papa et moi ne sommes pas plus « poules » que les autres parents.

Oui, on la laisse pleurer dans les bras d'autres personnes, pour montrer que le système ne nous effraie pas.

D'où vient alors cette option, qui s'active même quand ce sont les grands-parents ou les matantes qui tentent de «voler» le bébé ?

J'en suis venue à croire que c'est intégré à la naissance. Comme certaines autos viennent avec la climatisation, mon bébé est arrivé avec un système antivol.

J'ai jamais demandé ça. Mais j'aurais bien pris l'autonettoyant.

Publié le 30 avril 2009 par Marie-Ève, (Z)imparfaite invitée

Le jour où je suis devenue gérontophobe

Quand mes triplés étaient bébés, aller au centre commercial équivalait à participer au défilé des jumeaux du Festival Juste pour rire.

Nous avions beau les habiller différemment, mélanger les couleurs, leur laisser un caca bien odorant dans la couche, rien n'y faisait : aussitôt que nous mettions un pied dans un centre commercial, nous devenions... des aimants à ti-vieux !

Y a-t-il quelque chose de pire, lorsqu'on sort dans un lieu public avec un nouveau-né (ou trois !), que de se faire toucher par tous ces vieillards pas toujours propres qui, malgré leurs doubles foyers, repèrent la chair fraîche à des kilomètres à la ronde ? Comment ne pas grimacer devant ces bouches inconnues qui s'approchent sans gêne du visage pur et désinfecté de notre poupon pour lui faire des « prout-prout », des « guili-guili-guilou » et autres onomatopées d'une autre époque pour soi-disant lui arracher un sourire alors qu'on sait tous qu'invariablement leur mauvaise haleine vaincra... et que le petit éclatera en sanglots ?

Sans compter les commentaires in-si-gni-fiants qui sont invariablement prononcés par ces spectateurs gagas, trop imbibés de café infect pour se rendre compte de leur nullité. Je ne sais pas qui a dit que la sagesse s'acquérait avec l'âge, mais l'idiotie ne devait pas se cacher bien loin.

Voici donc mon petit *palmarès* personnel des sottises qu'on m'a servies au centre commercial :

En 5e position :
— Ça doit pas être facile de les différencier !
Devant elle, il y a :
— un bébé deux fois plus gros que les deux autres aux cheveux noirs avec des mèches rousses (Momo) ;
— un garçon minuscule qui a un seul poil sur le coco (Lolo) ;
— une fillette qui ne ressemble en rien aux deux autres : poids moyen, cheveux blonds, touffus (Lili).
En 4e position :
— J'en ai eu cinq, c'est ben pire que ça !
— Vous avez eu des quintuplés, madame ?
— Des quoi ?
En 3e position :
— C'est spécial, ses cheveux (en regardant Momo qui a les cheveux noirs avec des mèches rousses, je vous le rappelle), vous lui avez fait des mèches ?

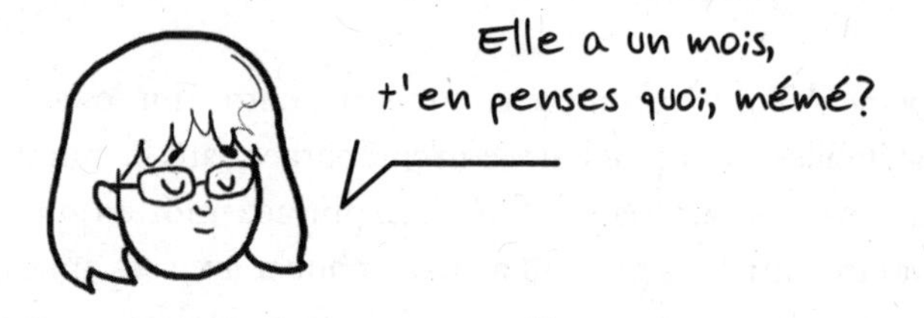

En 2e position :
— Aïe ! Y é ben gros, ce bébé-là ! Maudit qu'il vous ressemble !
— Euh… Merci ? !
En 1re position :
— Le petit gars, y é ben p'tit ! Y é-tu né en même temps que les deux autres ?
— Non, il est sorti tantôt là, dans le *parking*…

Publié le 16 juin 2008 par Nancy

Je ne veux plus de nouveaux amis

Ça y est ! J'ai atteint mon point de saturation. Mon agenda est plein, mon carnet d'adresses aussi. J'ai à peine le temps de voir tout « mon monde » dans une année, d'avoir des journées libres avec les enfants, de faire des sorties en amoureux, de passer quelques heures « seule avec moi-même ». Alors, n'essayez pas de devenir mon amie. Vous avez manqué votre tour, la *shop* est fermée !

Avec le temps, j'ai rayé de la liste les amitiés qui n'en valaient plus la peine (celles qui me pesaient, me bouffaient mon énergie ou me mettaient en rogne) et j'ai recentré l'objectif sur celles qui me font me sentir mieux.

Je peine déjà suffisamment comme ça à entretenir les amitiés déjà établies, pourquoi irais-je m'embourber dans de nouvelles relations où tout reste à faire ? Expliquez-moi en quoi ça peut être enrichissant, à 30 ans, de renouer avec ses amies du secondaire ? Après une soirée 100 % nostalgie et des lendemains 100 % « bitchage » par courriels interposés, il me semble que ça ne peut que devenir lourd, à moyen ou à court terme. Car après avoir renoué, un jour ou l'autre, il va falloir *flusher* !

Alors, pourquoi se chercher à tout prix des nouveaux amis ? Il vient un temps où il est préférable d'apprécier ceux qu'on a plutôt que de vouloir toujours recommencer à zéro. Quand la décision est prise et assumée, on n'a plus à accepter ces invitations à souper qui nous pèsent. On n'a plus à se préoccuper de ces fatigantes qui essaient toujours de reprendre contact... Que d'appels en moins à retourner et que de courriels à supprimer sans aucun remords !

Publié le 4 octobre 2008 par Nancy

De septembre à septembre
Une année dans la vie des (Z)imparfaites

La Charte « Rentrée scolaire »

« Pas déjà ! » clament les enfants. « Enfin ! » soupirent les parents. Mais ça, c'était avant de connaître les contraintes qu'apporte l'école dans la vie familiale. Pas de panique, en octobre, vous aurez tout oublié !

À partir d'aujourd'hui, les (Z)imparfaites vous donnent le droit de :

propre, quand même!

- ❑ Piger les vêtements pas pliés du panier à linge qui trône depuis deux jours dans un coin du salon ;
- ❑ Trouver insupportable la prof de votre enfant ;
- ❑ Faire répéter les prénoms impossibles des nouveaux amis de vos enfants pour votre seul plaisir égoïste (« il s'appelle comment ? Manigaël ?! Tu as bien dit Manigaël ? ») ;
- ❑ Commander une assiette de shish taouk supplémentaire au resto libanais, puis redistribuer le riz et le poulet dans les lunchs du lendemain aux enfants (forte odeur d'ail en prime !) ;
- ❑ Correspondre avec la prof sur des dizaines de petits Post-it : l'école n'avait qu'à fournir un agenda ! ;
- ❑ Asperger les enfants d'huile essentielle de lavande pour faire fuir les poux en tout temps ;

on n'est jamais trop prudents!

- ❑ Allumer vous-même la télé dès l'arrivée des enfants après l'école ;

- ❏ Raconter un mensonge à l'école pour garder votre enfant à la maison et vous la couler douce pour une journée pyjama en famille ;

- ❏ Raconter un mensonge à votre enfant (et à votre patron) lors d'une journée pédago et l'envoyer au service de garde alors que vous vous la coulez douce en pyjama à la maison... SEULE !

La dictature de la boîte à lunch

Jeudi, première (vraie) journée d'école, première collation. Momo a choisi un biscuit à l'avoine « récolte de fruits » Vital de Leclerc, certifié sans arachides.* « OK, ma belle, tu peux le mettre dans ton sac à dos ». ERREUR, GRAVE ERREUR !

ma nouvelle obsession à l'épicerie!

Elle est revenue toute penaude de l'école avec sa collation dans son sac, emballée dans un papier portant la mention : « Collation proscrite ».

— Je n'ai pas eu le droit de manger ma collation, maman...
Première journée à la maternelle, première infraction ! « Merde, ce n'était quand même pas une Patte d'ours aux brownies ! »

Je fouille dans son sac en quête d'explications et je tombe sur la feuille des règlements régissant les lunchs et collations. J'apprends ainsi qu'en raison du thème « Environnement et santé » adopté par l'école, seuls les yogourts, fromages, fruits et légumes sont admis en classe pour les collations, et ce, sans emballage. Interdits, les Ficello, les yogourts individuels, les Ziplocs. Il faut en tout temps tout mettre dans des petits plats. Et n'essayez pas de leur passer un muffin au son et aux dattes fait maison : INTERDIT ! Pas de jus, pas de lait : il y a une fontaine dans la classe !

Coudonc, je les ai inscrits dans l'armée par mégarde ou ils vont bel et bien à l'école du coin ?

Je ne suis pas contre la vertu, mais il ne faut quand même pas tomber dans les extrêmes. L'an dernier, avant que la loi sur les cafétérias santé ne soit adoptée, les petits devaient se gaver de gâteaux Vachon en toute liberté. Cette année, ils doivent s'énergiser avec un bout de céleri et trois gouttes d'eau ! Quand les enfants sont au service de garde depuis 7 h 30, ce n'est pas une collation de moins de 25 calories qui va les rassasier !

Et pas de jus en TetraPak au dîner (rappelez-vous le thème : « Environnement et santé »), mais les Chef Boyardee et le Kraft Dinner réchauffés, ce n'est pas interdit... Essayez d'y comprendre quelque chose !

Publié le 9 septembre 2008 par Nancy

Une génération de p'tits Jos Connaissant

De nos jours, c'est fou comme les petits sont fins finauds. Ils en savent trop sur tout et on dirait qu'ils prennent un malin plaisir à nous faire sentir niaiseux.

Exemples :

— Ils reconnaissent les langues que parlent leurs copains dès la garderie (« Faraz, il parle perse, et Mounir, il parle arabe ; ce n'est pas pareil, voyons maman ! »). Ben oui, comment ai-je fait pour confondre les deux ?!! ;

— Ils savent distinguer les lentilles des pois chiches, les pois chiches des pois mange-tout, les mange-tout des pois cassés, les pois cassés des haricots blancs… ;

moi, à cinq ans, je ne connaissais que le petit pois vert en canne…

— Ils gèrent facilement les problèmes « de grands » et ne s'en font pas outre mesure avec ça… ;

— Ils sont même calés en géographie. Quelle est la capitale des États-Unis ? « Walt Disney ! » répond Lolo, sûr de lui. Et n'essayez pas de lui dire qu'il a tort, c'est son amie Océane qui le lui a dit à la garderie !

Quand ce n'est pas l'éducatrice qui leur balance des énormités...

Extrait d'une conversation sur le bon usage du français avec ma fille de cinq ans :
— On ne dit pas « s'assire », cocotte, on dit s'asseoir.
— Non, on dit « s'assire » !
— Mais non, chérie, on dit s'asseoir !
— Mon éducatrice, elle dit « s'assire ». C'est « s'assire », bon !
— Regarde dans ce petit livre vert-là, c'est écrit qu'il faut dire s'asseoir.
— Non, mon éducatrice, elle dit que c'est « s'assire » !
— A-t-elle étudié la grammaire pendant trois ans à l'université, ton éducatrice ? Je te le dis que c'est S'ASSEOIR ! (tiens, un *Bescherelle* ! Voilà une bonne idée-cadeau pour l'éducatrice !)

Alors, ce sera quoi, une fois à la vraie école, dites-moi ? ! Je me prépare mentalement… Il me reste un mois pour parfaire ma culture générale et mes connaissances académiques de base… Ça vaut la peine juste pour ne pas me faire humilier quotidiennement par un « Hein ? Tu ne sais pas comment calculer l'hypoténuse ? » !

Publié le 1er août 2008 par Nancy

Ma fille est en overdose de moi

Outch ! La révélation revient me hanter de temps en temps.

La première fois que je suis arrivée à ce (dur) constat, MissLulus n'avait même pas un an. Je passais mes journées avec elle, la trimbalais partout, courais les heures du conte, lui lisais des histoires, etc. Elle semblait aimer. Elle souriait et me donnait quelques câlins. Quand Papa (im)parfait arrivait après sa journée de travail, l'explosion de bonheur ! Elle ne souriait plus, elle riait aux éclats. Elle ne donnait pas un câlin, elle l'inondait de bisous ! Je n'existais plus. J'étais un meuble parmi d'autres dans la maison.

Indépendante, elle a toujours été capable de découcher pour aller chez ses grands-parents, partir une semaine entière au chalet sans nous, même trois jours après l'arrivée de JeuneHomme. Bye, les parents !

Puis, dernièrement, j'ai encore eu cette étrange impression que MissLulus n'en pouvait plus de moi. Overdose. On se voit le matin jusqu'à ce qu'on coure pour attraper l'autobus, vers 9 h 05. Elle revient dîner à la maison de midi à 13 h pour déposer finalement son sac à dos à 16 h 10 sur le bord de l'escalier. Devant mes questions, je lis dans son regard une petite exaspération.

— Qu'est-ce que tu as fait ce matin ?
— La même chose que d'habitude...
— Tu as fait un bricolage ?
— Beeeeeeeeeennnnn non....

— Tu as fait quoi, alors ?
— On a joué...
— À quoi ?

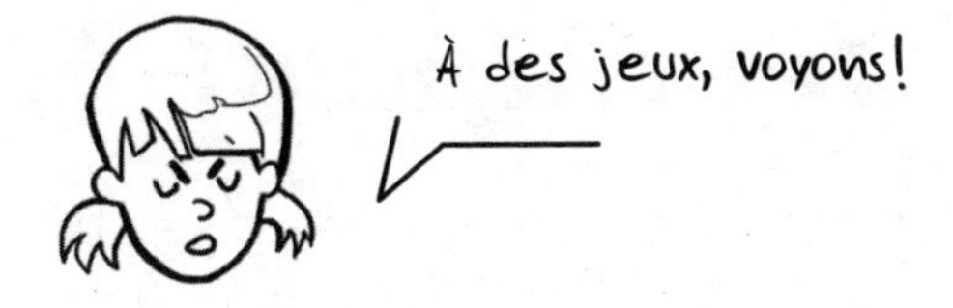

Des miettes ! Je récolte des miettes ! Il faut lui arracher les mots de la bouche (mais au fond, est-ce que je veux savoir tout dans les moindres détails ?) et la travailler sans bon sens pour réussir à mettre en ordre les chapitres de sa journée scolaire. Je l'assomme avec mes tas de questions. J'opte désormais pour la tactique inverse. Je lui raconte ma journée et spontanément, elle me fait part des morceaux de la sienne.

***

Étrange, la vie, quand même ! Je n'ai pas décidé de travailler de la maison pour elle ou son frère. Je ne ferai jamais porter ma décision sur leurs épaules. Mais il reste que j'aurais pensé qu'ils auraient été globalement plus contents de leur sort. Peut-être qu'à retardement ils apprécieront. Peut-être pas non plus ? Pour l'instant, je sens que MissLulus est contente d'aller « ventiler » ailleurs et... j'en profite pour « ventiler » aussi.

une folle de ne pas en profiter!

Après quelques jours à me tourmenter, j'ai ensuite considéré ses accès d'overdose comme des moments où je pouvais m'éclipser : prendre un café, aller magasiner, me prélasser dans un bain, aller souper avec des copines, etc.

Bref, son overdose me permet d'être égoïste : bon compromis, finalement !

Publié le 25 novembre 2008 par Nadine

Une admiration sans borne pour les chipies !

Ma chère Momo, tout juste arrivée à la maternelle, a plein de nouveaux amis et n'est pas peu fière de me mentionner que, jour après jour, ces charmants enfants qu'elle qualifie d'amis cumulent les inscriptions au tableau. En clair : ses amis sont les tannants et les chipies de sa classe !

au risque de me répéter!

Pour un motif psychologique que j'ignore, ma fille aime se coller aux p'tits morveux et aux p'tites pestes qui l'entourent. Comme elle est de nature timide et réservée, peut-être vit-elle ainsi par procuration le fantasme de déranger la classe, de ne pas respecter les consignes et de foutre le professeur en rogne.

J'ai beau tenter de la rediriger vers les fillettes les plus charmantes du groupe, je la retrouve toujours en compagnie de l'énervée-échevelée et des plus insupportables du lot. Dieu soit loué ! Elle n'a pas encore eu l'idée de génie de vouloir les inviter à venir jouer (pire, coucher !) à la maison.

Quand j'aborde le sujet avec elle, son explication est des plus simples : « Ce sont les amis les plus drôles de la classe. »

C'est peut-être drôle à cinq ans, mais je ne suis pas sûre d'en rire encore si le *pattern* se poursuit à l'adolescence... Juste à imaginer le défilé de *bad boys* (tatouages et *piercings* seront *out*, ce sera quoi, dans 10 ans ? !) à sa fenêtre à 15 ans et ma tension artérielle monte en flèche !

Publié le 2 octobre 2008 par Nancy

Devenir (un peu) bitch

Au parc, quand je vois MissLulus mourir d'envie d'aller jouer à une version modernisée de la « tag » ou du roi de la montagne avec un groupe de « grandes » filles de 10-11 ans et que celles-ci l'ignorent volontairement et vont même jusqu'à la bousculer un peu, je sens subitement monter en moi mon instinct de bitcheuse.

puissant! On en a tous un!

Ces minibitchs (qui sacrent haut et fort en zyeutant pour vérifier si leurs parents ne décideraient pas de se pointer incognito et dont les jupes ultra-courtes émoustillent les gars prépubères qui les entourent) n'ont qu'à bien se tenir, car je vais — subtilement — enseigner les règles rudimentaires et essentielles de la bitcherie à MissLulus.

Après des années de garderie où tout le monde est gentil et où tous sont ses « amis » (même les plus insupportables !), je me devais de lui dire, à quelques jours de la rentrée... que c'était faux ! La vie et les amis, ce n'est pas toujours gentil ! Et surtout pas les filles entre elles.

MissLulus, écoute-moi bien : si les minibitchs ne veulent pas jouer avec toi, ne reste pas plantée là à côté d'elles à te fondre dans le décor, à te tortiller une mèche de cheveux, à les suivre pas à pas. Dis-leur que leur jeu est nul ! Dis-leur haut et fort : « Tant pis pour vous ! » et pars jouer ailleurs ! La tête haute ! Le regard déjà au loin, par-dessus elles ! D'un ton assuré, tout en contrôle ! Dis-leur que tu as une gang d'amis bien mieux qu'elles. Dis-moi, surtout, que tu survivras aux bitcheries des autres, même avec ton cœur gros comme ça !

J'aurais personnellement eu envie de leur dire leurs quatre vérités à ces petites écervelées, ces fausses reines du module de jeu d'enfants, mais je n'ai rien fait. Ça fait partie de la leçon. Pour ne pas avoir mal, il faut être un peu bitch, mais pas trop ! On n'a pas le droit d'écraser les autres pour s'élever en solo. MissLulus, comprends-tu la mince ligne entre les deux ?

Misère ! Ce sont déjà les effets collatéraux du début de l'école et de la vraie vie.

Publié le 12 août 2008 par Nadine

Heure de grande influence

Depuis le début de l'école, je me surprends à vider le sac d'école de MissLulus avec ferveur en redoutant LE pire. Et puis, c'est arrivé ! Une toute petite carte avec un singe flanqué d'un chapeau sur la caboche avec en guise de timbre un autocollant de gâteau surmonté de bougies ! Horreur ! MissLulus a reçu une invitation pour l'anniversaire d'un petit gars de sa classe. NOOOOOOON !!!

De un, je ne connais pas l'enfant ni le parent. De deux, fête = cadeau = $ $ $ = retardement de mon futur voyage. De trois, sa meilleure amie dans sa classe prépare déjà une fête pour la semaine suivante. Une par mois, c'est assez ! Je veux bien qu'elle ait une vie sociale active, mais les petits amis qui invitent des simili-amis juste pour se téter un cadeau, ça « m'énaaarve ! » Et que dire de leurs parents ? Mais bon... Pourquoi paniquer : MissLulus, raisonnable, ne voudra sûrement pas y aller.

« *Tu veux y aller ?* » que je demande. Qui sait ? Je lui ai peut-être refilé les gènes de ma « non-sympathicité » ? « *Ouiiiiiiii !!!* » Catastrophe. Maudite hérédité poche ! J'ai eu une soudaine envie de charcuter la photo de classe de ma fille.

Pendant quelques secondes (le temps de sortir un chapelet de sacres bien sentis... intérieurement), j'ai cru que la panique allait l'emporter. Finalement, me ressaisissant, j'ai plutôt enfilé les arguments, les questions et les suppositions pour espérer la faire changer d'idée.

Phase d'influence mineure :
— Il n'est pas le plus tannant de ta classe ?

— Il n'est pas celui qui cherche toujours la bataille? T'haïs ça, toi, n'est-ce pas?
— Il me semble qu'il n'est même pas un de tes VRAIS amis!

Phase d'influence modérée:
— J'ai appelé sa mère. Il n'y aura que des gars à sa fête. C'est poche, hein?
MissLulus n'est pas d'accord.
— Yes, sir! Je vais connaître des nouveaux amis!
— Non, non! C'est des gars de ta classe...
MissLulus re-jubile.
— Yé! Ce sont donc mes vrais amis, ça, hein?
— Oui, mais aucune fille pour jouer si tu es tannée de leurs jeux...
Aucun problème apparent pour MissLulus.
— Ben sa mère va être là! Je vais pouvoir jouer avec elle!

Phase d'influence élevée de type « manipulatrice »:
— Peut-être qu'il a un chien chez lui... Un GROS chien!
— Peut-être qu'il a invité un clown pour sa fête ou une mascotte!
Je sens que MissLulus frémit un peu.
— Pour le chien, je lui ai demandé: il n'y en a pas. C'est une fête de gars. Y a pas de clown dans les fêtes de gars!

Phase d'influence ultime « je joue avec tes sentiments »:
— C'est plate! Toi qui voulais qu'on soit ensemble, en famille, tous les quatre samedis...
— Il va falloir que tu prennes un bain. Moi qui pensais te donner congé pour trois ou quatre jours...

— Dommage aussi ! Le soir, tu seras si fatiguée après ton cours de danse et la fête qu'il faudra que tu te couches tôt alors que ton frère et nous, on pourra veiller !

Bon signe : elle pâlit un peu. Prendre son bain est devenu une corvée depuis la semaine de relâche (*au fait, combien de fois l'a-t-elle pris ? Bonne question... Au moins deux, je dirais !).*

Il ne me reste qu'un autre argument. MissLulus sera bien inquiète de ce qu'on fera alors qu'elle ne sera pas avec nous. Du genre à s'inquiéter pour voir si on va survivre. « *Si tu savais comme ça nous fait un beau petit break de paroles...* », que je lui dis habituellement. Mais là, je vais lui dire quelque chose comme « *Avec ton frère, on va aller se baigner à la piscine intérieure, celle que tu adores, prendre un chocolat chaud et arrêter louer le film qu'on regardera ce soir.* » En une seule phrase, elle verdira de jalousie (baignade et chocolat chaud) et de rage (« *Mon frère choisit toujours des films de bébéééééééé* ! »). Peut-être que ça suffira pour la faire changer d'idée.

Pitié... pas une fête d'enfants ! Je suis déjà à bout d'arguments. Mais, en attendant, je vous le dis... je suis pas mal bonne aux fléchettes ! Et ça défoule !

Publié le 11 mars 2009 par Nadine

Message aux parents de miniadultes

Choupinette a perdu sa première dent la semaine dernière. Toute heureuse, elle me dit qu'ENFIN la fée des dents passera chez elle !

On prend un petit moment pour écrire un mot à la fée des dents. Choupinette, fébrile, dépose le tout sous son oreiller dans la hâte du lendemain.

Premiers rayons du soleil, on entend un cri de joie dans la chambre à côté de la nôtre.
— Maman, la fée des dents est passée !
Choupinette est aux anges. Elle veut montrer sa surprise à ses amis. Elle revient de l'école avec un petit air songeur cet après-midi-là.
— Mathis dit qu'il sait c'est qui, la fée des dents. Il dit que c'est ma maman.
Je rage intérieurement. Comment un petit coco de cinq ans peut-il enlever ses illusions d'enfant à ma fille ?
— Et toi, qu'est-ce que tu en penses ? que je lui demande.
— Ben moi, je pense que non, tu peux pas être la fée des dents, tu dormais cette nuit, comment tu aurais pu mettre la surprise sous mon oreiller ?

Tu as bien raison, Choupinette...

Maintenant, j'aimerais bien profiter de cette tribune qui m'est offerte pour transmettre un message. À vous, parents de petits Mathis et autres miniadultes à qui, sous prétexte de ne pas sous-estimer leur jugement et leur intelligence, on dit TOUTE LA VÉRITÉ sur le père Noël, la fée des dents et autres inventions fantastiques de parents que vous jugez déconnectés de la réalité.

J'ai attendu longtemps avant d'avoir des enfants. J'ai eu le temps d'en rêver amplement, d'imaginer ma vie de famille. Et ce à quoi je rêvais le plus quand je m'imaginais avec mes enfants plus tard, c'était de voir la magie dans leurs yeux devant des biscuits aux pépites de chocolat entamés sous l'arbre de Noël, devant une surprise sous l'oreiller le lendemain d'une dent perdue, durant une chasse aux cocos imaginée par le lapin de Pâques. Et maintenant que je le vis, ça reste mon plaisir le plus intense comme parent. Je suis tout émue chaque fois de voir leurs regards pétiller d'émerveillement. Si vous saviez tout ce qu'on déploie d'efforts ici pour alimenter la magie des fêtes et d'autres petits événements du quotidien ! Et on aime ça ! OK ?

Si vous ne voulez pas raconter d'histoires parce que vous considérez vos rejetons suffisamment allumés pour tout comprendre de la vie sans ces trucs imaginaires, je n'y vois pas de problème, chacun mène sa vie comme il l'entend. Mais pouvez-vous s'il vous plaît leur passer aussi le mot (ils devraient comprendre, étant si matures !) que ça ne démontrera aucunement la supériorité de leur intelligence que d'enlever les illusions des autres enfants avec leurs commentaires « plates » et rationnels ? Parce qu'on s'entend que c'est pas mal toujours par la bouche d'autres enfants que le doute est semé dans leur esprit...

Publié le 4 décembre 2008 par So, (Z)imparfaite invitée

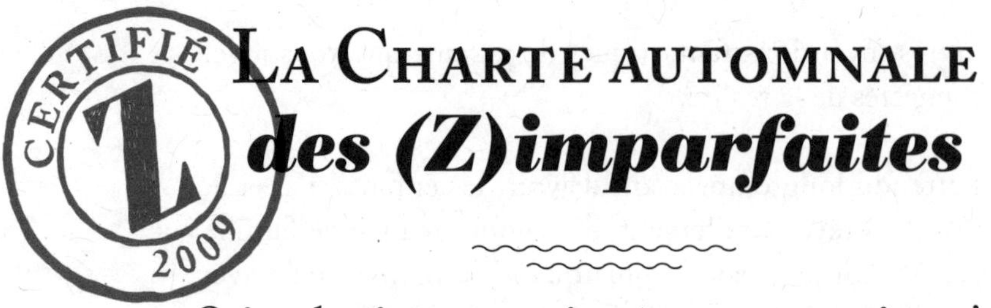

La Charte automnale des (Z)imparfaites

Oui, on le sait : automne rime avec pommes, mais on n'en peut plus des kilos de pommes qui pourrissent sur le comptoir (il nous reste de la compote de la cuvée 2006 dans le congélo !). Mais quoi faire durant cette saison morte ? Rien, justement !

À partir d'aujourd'hui, les (Z)imparfaites vous donnent le droit de :

❏ Laisser les feuilles mortes pourrir sur le terrain : ce n'est pas de la négligence, c'est s'initier au compostage ;

❏ Ne pas aller aux pommes : ce n'est pas un sacrilège, c'est une bonne idée ! ;

❏ … mais y aller sans rapporter un cidre de glace ou une tarte toute faite en est un ! ;

❏ Assister à un programme double au cinéma, même si ce n'est pas un jour de pluie ;

❏ À l'Halloween, changer de quartier si le nôtre a un ratio trop faible de maisons décorées (et généreuses !) ;

❏ Manger les bonbons des enfants : ça diminue leurs risques d'avoir des caries.

La saison du laisser-aller

Aaaahhh, l'automne ! Les fleurs qui fanent et gèlent sur place dans les plates-bandes. Les mauvaises herbes hautes de trois pieds qui ramollissent toutes seules au premier gel. Le gazon qui ne pousse plus. La piscine qui tourne au vert. Les feuilles qui recouvrent le tout de leurs belles couleurs...

J'aime l'automne au jardin, car je suis une si imparfaite maîtresse de maison que c'est la seule saison où je ne me sens pas coupable de ne rien faire dehors. Je laisse tout suivre son cours, j'arrache les plus imposantes laideurs et je laisse tout le reste en place jusqu'au printemps. Car la saison du renouveau est aussi la saison de la perfection et du grand ménage. C'est le seul moment dans l'année (ça dure quoi... deux semaines ?) où je suis motivée à faire des tâches extérieures. Alors, pourquoi me priver de ce plaisir printanier en mettant la main à la pâte à l'automne ? Laissons la nature s'enlaidir à sa guise, c'est son choix, après tout !

quelle géniale protection hivernale naturelle!

Mais je ne suis pas totalement insensible à la beauté des choses. Alors, j'ai une petite pensée pour vous, parfaites jardinières éreintées aux doigts ampoulés. Entre deux chapitres de mon roman déjà bien entamé et deux gorgées de vin, bien enroulée dans ma grosse doudou pendant que les enfants regardent le quatrième DVD d'affilée de *Toupie et Binou*, je vous salue bien bas... et je ne vous envie même pas !

ma voisine, entre autres

Publié le 28 septembre 2008 par Nancy

Cueillir des courges : l'attrape-parents !

Que faire à l'automne ? Chaque année, les deux mêmes activités sont inscrites au calendrier : aller aux pommes et aller voir les citrouilles décorées au Jardin botanique.

Et chaque année, je maudis mon manque d'imagination ! Alors, j'en viens à proposer :

Heureusement, on finit par ne jamais y aller. Soit il pleut, soit il a plu, soit on a autre chose à faire.

Et quand j'y repense, je me dis que nous sommes bénis, car franchement quel intérêt y a-t-il à aller faire de l'autocueillette de courges ou de citrouilles ? Dites-moi qui, dans la vie, a besoin de plus de cinq cucurbitacées ? Et si on s'y rend pour cueillir une courge poivrée, une Butternut et deux citrouilles, on va avoir eu du fun pendant... euh... au moins 10 bonnes minutes !

On a beau vouloir faire durer le plaisir et remplir le coffre arrière de la voiture de courges de toutes sortes, il va falloir les cuisiner si on ne veut pas juste les regarder pourrir. Qui a envie de congeler 10 litres de potage à la courge musquée ? (Qui a envie de FAIRE 10 litres de potage à la courge musquée ?). Qui a du plaisir à faire griller des centaines de graines de citrouilles ?

Qui veut MANGER des centaines de graines de citrouilles?

Et puis, on ne peut pas prétendre qu'on va dans les champs pleins de « bouette » pour admirer le paysage. Une allée de courges inertes au sol, c'est plutôt désolant comme vision...

Et si on visait plus petit et qu'on allait aux canneberges cette année ? C'est plus spectaculaire, ça se congèle bien et ça se cuisine sans avoir besoin de sortir le couteau de tueur en série qui se cache au fond du tiroir !

Publié le 12 octobre 2008 par Nancy

Quand tu te crois trop fine...

Mercredi, il faisait beau et chaud. À son retour de l'école, j'ai demandé à MissLulus de faire la G. O. de son frère et de jouer dehors. Un peu d'air frais leur fera du bien, me disais-je avec une idée derrière la tête. J'allais enfin pouvoir terminer mes corrections pour un contrat qui traînait et répondre à trois courriels urgents.

vive le boulot à la maison!

Portrait idyllique. J'entends les enfants jouer, rire et s'amuser. J'ai le temps de tout boucler mes trucs, lire trois pages du journal de l'avant-veille qui traîne sur la table de la cuisine, même flâner un peu en lisant un magazine et préparer le souper. Je me trouvais efficace. Je me trouvais donc fine ! J'avais même un peu la paix. Petit moment de pur bonheur, croyais-je... à tort.

Quand les deux moineaux sont entrés, je ne me suis doutée de rien. Leurs petites joues étaient roses et ils avaient des regards complices. Tout semblait trop beau. Je remerciais encore l'été des Indiens qui nous surprenait début novembre. J'étais encore sous le charme.

Tout à coup, j'ai humé une drôle d'odeur. J'ai fermé la porte-fenêtre. Qui nous empeste ? Bah ! J'ai dû rêver, me raisonnai-je. J'ai tout de même mis le nez au-dessus de la poubelle. Rien. Mon nez doutait que ce ne soit qu'un rêve. J'ai tenté de me persuader en vérifiant le sac d'oignons. Rien de suspect pourtant, mais au même moment, j'ai frôlé Jeune-Homme en retenant un haut-le-cœur.

Vite un changement de couche! Pourtant, rien!

Et puis, j'ai allumé. Mon regard est descendu: les souliers! La semelle antidérapante (lire pleine de fentes, de sillons et de cratères) était pleine de caca de chat (ou d'une autre bête). Horreur! J'ai versé l'équivalent d'une bouteille de vinaigre, d'eau de Javel et de savon à vaisselle sur les semelles. Mais avec quoi gratter les semelles? Je ne pouvais pas gaspiller ma brosse pour laver le plancher! Les deux mains dans le lavabo avec les deux horreurs puantes, j'ai parcouru mon horizon proche pour finalement *spotter* un pinceau au bout pointu. Hargneusement, je l'ai cassé en deux et j'ai passé 15 minutes à récurer des bottines. «Merci, beau temps!» me répétai-je en m'usant les doigts et en réprimant une profonde envie de vomir. Merci, beau temps... Je ne me ferai plus prendre.

Les deux mains dans la m****, j'ai commencé à rêver. C'est pour bientôt, la neige qui gèle les crottes de chat?

Publié le 6 novembre 2008 par Nadine

Histoire d'Halloween et de robes qui tournent...

PetitLoup ayant des penchants très féminins, son papa et moi avions décidé que cette année il n'y aurait pas de déguisement de princesse à l'Halloween. Ni pour Choupinette, ni pour PetitLoup. Ainsi, notre fils ne percevrait pas que sa sœur détient un privilège sur lui d'être une fille. On était vraiment fiers de notre coup. Notre premier pas dans l'affirmation de nos limites face aux intérêts féminins de fiston.

Nous avons cherché avec PetitLoup le déguisement qui le ferait s'exclamer de bonheur : Spiderman ? Non, trop gars. Citrouille ? Sans intérêt... On s'était finalement presque entendus pour un déguisement de Peter Pan, androgyne à souhait, mais quand même pas trop « robe qui tourne ». Choupinette, de son côté, avait choisi un déguisement de sorcière. Arrivés au magasin de déguisement, elle pointe celui qu'elle veut et PetitLoup nous sort son éternelle réplique :
— Moi, je veux comme ça aussi !
— Mais chéri, c'est un déguisement de fille, on s'était entendus pour Peter Pan, non ?
— Moi, je veux comme Choupinette ! Et t'avais dit pas de princesse, maman. Les sorcières, c'est pas des princesses, non ?

Essaie le costume, arrive devant le miroir avec fierté. Et bien sûr, arrive au même moment une dame qui se penche et dit :
— Mais que tu es mignonne, petite sorcière !

Bon, j'ai capitulé… Je n'ai pas fini de voir tourner des robes, semble-t-il ! Même si ce sera celle d'une affreuse sorcière véreuse ! Misère...

Publié le 30 octobre 2008 par So, (Z)imparfaite invitée

La Charte de Noël des (Z)imparfaites

Ho ! Ho ! Ho ! Noël peut être joyeux, mais c'est aussi durant cette période qu'on rencontre bon nombre d'enfants insupportables ainsi qu'une lignée éloignée de notre arbre généalogique qu'on souhaiterait plus éloignée encore. Chez les (Z)imparfaites, c'est Noël à notre façon et tant pis pour les autres !

À partir d'aujourd'hui, les (Z)imparfaites vous donnent le droit de :

- ☐ Avoir un arbre de Noël. Artificiel ou non. On ne sait même plus lequel est le plus écolo ;

- ☐ Parsemer le terrain, la maison et même les chambres de lumières de Noël. Ce n'est pas du gaspillage, c'est pour donner des repères au père Noël ! ;

- ☐ Donner une petite dose préventive de Tempra aux petits grognons avant un party pour qu'ils tiennent le coup et nous laissent veiller jusqu'au porto ;

- ☐ Utiliser toutes les menaces mettant en scène le père Noël. Elles sont toutes permises. TOUTES ! ;

- ☐ Le petit Jésus ? Faire expliquer l'histoire par grand-papa… ou simplement, ne plus mettre la crèche sous l'arbre ;

plus simple… et plus joli !

- ☐ Profiter des paniers de Noël pour se débarrasser de la moitié des jouets des enfants ;

- ❏ Donner aussi les conserves de lentilles et les sacs de quinoa que vous aviez achetés avec bonne conscience et qui n'ont toujours pas servi après deux ans ;

- ❏ Refiler une serviette « antirégurgit » ou une vieille tasse démodée des Expos dans l'échange de cadeaux du bureau. Profitez-en pour envoyer un message clair : on haït ça, les échanges de cadeaux ! ;

- ❏ Avoir envie d'étouffer les grincheux de Noël qui s'exaspèrent de voir des gens acheter des cadeaux (plusieurs, même !) à leurs enfants. C'est une réaction normale ;

- ❏ Avoir envie de mordre les grincheux de Noël ultraverts qui essaient de nous faire rougir avec nos dépenses et nos papiers d'emballage. C'est une réaction normale ;

- ❏ Avoir envie de rire des grincheux qui le soir de Noël n'ont pas la chance d'avoir de petits (Z)imparfaits aux grands yeux étincelants. C'est une réaction normale.

au centre d'achats ultrabondé :
c'est cher payé pour d'aussi
« beaux souvenirs »

À bas les grincheux !

Nous voilà enfin au 1er décembre, premier jour du calendrier de l'avent et des petites douceurs quotidiennes (je ne parle pas des chocolats infects cachés depuis cinq ans dans les boîtes de carton ! Soyez imaginatifs et achetez de la qualité, vos enfants vous en remercieront un jour !).

Bref, l'excitation est palpable dans la maison. Les bricolages de Noël couvrent déjà les murs. Les lettres ont été postées au père Noël. Les chansons de Noël rythment l'heure du bain. On a déjà des papillons dans le ventre à l'évocation du réveillon, des journées pyjama et des sorties qui vont rendre nos vacances des fêtes inoubliables. On peut enfin allumer les lumières de Noël qu'on a installées à la mi-novembre quand il faisait encore + 5 degrés sans se sentir mal.

Euh, non... Pas tout à fait !

Car depuis quelques années, le Mouvement des grincheux chroniques s'efforce de rendre Noël désagréable. De la fête familiale et rassembleuse qu'elle était il y a à peine quelques années, Noël est devenue le symbole de la surconsommation et du gaspillage d'énergie à cause d'une bande de grincheux esclaves de leurs convictions.

Pas de lumières, pas trop de papier d'emballage, pas de vrai sapin (et surtout pas de faux !), pas de cadeaux *made in China*, rien qui aurait peut-être été manipulé par un enfant exploité, pas de sucreries, pas de gras trans, pas de déplacements inutiles en voiture, pas de chansons de Noël (trop quétaine !). Juste de la culpabilité, pas de PLAISIR.

Le Mouvement des grincheux chroniques regroupe des gens tellement frustrés qu'ils ne donnent même plus la permission de s'amuser. Alors, ils s'efforcent de rendre suspect tout débordement de plaisir autour d'eux. S'amuser est devenu tabou. Ce n'est plus *in* d'avoir du plaisir. La mode est à la morosité. Plus on boude son plaisir, plus on en est fier et plus on le dit haut et fort !

Pour suivre la tendance, il faudrait haïr Noël. Se tenir loin des centres commerciaux. Refuser tout échange de cadeaux et boucher ses oreilles aux premiers accords de *Jingle Bells*.

Eh bien, moi, je fais mon *coming out*. J'AIME NOËL ! J'aime offrir et déballer des cadeaux. J'aime les maisons illuminées et j'aime me promener en auto pour aller les voir avec les enfants. J'aime dénicher plein de petits cadeaux pour remplir à ras bord les bas de Noël. J'aime les Toffifee. J'aime les premiers flocons de neige qui nous mettent dans l'ambiance des fêtes. J'aime l'odeur du sapin. J'aime les films de Noël, plus encore ceux que j'ai vus 30 fois. J'aime les chansons de Noël qui tournent en boucle à la radio. J'aime même leur version *musak* dans les magasins. J'aime vider le fond de la bouteille de Bailey's dans mon café le 25 décembre au matin. J'aime croire au père Noël. Et personne ne pourra jamais m'enlever ce plaisir. Point.

Publié le 1er décembre 2008 par Nancy

Père Noël techno

Pour faire croire des trucs aux enfants, j'ai le tour. Et chaque année, je modifie les croyances pour qu'elles collent bien à notre situation.

Chaque année, à partir de novembre, le père Noël envoie ses lutins en mission dans chaque maison. Le ratio est « un lutin, un enfant » ! Ces petits êtres sont chargés de noter tous les agissements — bons ou mauvais — des enfants et d'en faire un compte rendu détaillé à leur patron. Minuscules, gênés et peureux, les lutins s'arrangent pour ne jamais se faire voir, bien sûr, car MissLulus avait développé une peur bleue de se retrouver nez à nez avec son lutin !

Dernièrement, n'en pouvant plus des cris et des obstinations des enfants, j'ai trouvé l'astuce parfaite. Le père Noël est devenu techno ! Il a équipé les lutins d'un puissant téléphone cellulaire (ou BlackBerry selon ce qui sévit chez vous !). Ainsi, ils peuvent faire écouter « en direct » ce qui se passe dans la maison. Puisque le père Noël ne peut pas être dispo tout le temps, ce que le lutin capte est immédiatement enregistré dans le dossier top secret MissLulus ou JeuneHomme et quand le père Noël cliquera sur son nom pour visualiser la lettre et la liste de Noël de l'enfant et le compte rendu de son lutin, il pourra aussi écouter ce qui se passe chez lui. Le lutin peut aussi enregistrer les bons coups des enfants, alors je vous le dis, ici, il pleut des « merci », « SVP » et on salue dignement chaque matin le chauffeur d'autobus. Il reste que MissLulus est bien désespérée pour son frère : « Maman, il n'aura pas de cadeau. Il chiale tout le temps ! »... Euh, en effet, mais le père Noël est plus indulgent pour ceux qui traversent le *terrible two*, ma chouette ! Un peu...

Vive le père Noël techno ! On réussit à ramener le calme *pronto* !

Publié le 24 novembre 2008 par Nadine

Cadeaux (z)imparfaits

Les premiers ont fait leur apparition sous le sapin la semaine dernière. Petits, inégaux, « surscotchtapés ». D'autres viendront s'ajouter vendredi, à la première heure des vacances de Noël. Difformes, trop nombreux, annonciateurs de désastre.

Comme la varicelle et les dents qui percent, les cadeaux bricolés par les enfants sont un mal nécessaire pour tous les parents. Un incontournable de Noël à placer sur la même liste que la dinde trop sèche et les chocolats Pot of Gold.

Il y a bien quelque chose de touchant dans l'attention et l'application des enfants à vouloir nous faire plaisir mais, plus souvent qu'autrement, la chose qu'on finit par avoir entre les mains ne mérite pas tout cet empressement.

Je pense notamment à cette assiette peinte à la main par Momo, alors âgée de trois ans, dont le fond était composé d'un savant mélange de peintures verte, rouge et brune mal étendues, en « mottons ».

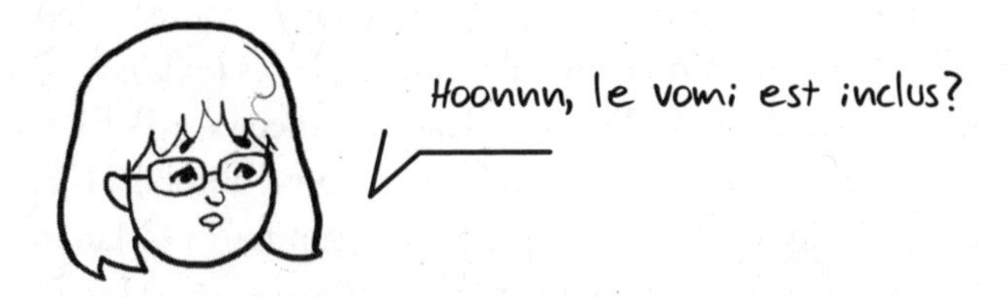

M'étais-je exclamée, troublée, sous le regard désapprobateur de la parenté.

Cette année, j'ai droit à une primeur, puisqu'il y a sous le sapin un cadeau fort « prometteur » puisque non emballé. Ça m'a tout l'air d'un rouleau de papier hygiénique décoré de mottes de papier de soie gris chiffonné... Un bougeoir ? Un centre de table ? Un porte-crayons ? Tout ça à la fois ?!

Il ne me reste qu'une semaine avant de percer le mystère...

Et jouer la dure... car c'est la gorge serrée et les yeux mouillés que je vais déballer, cette année encore, les cadeaux-surprises de mes bricoleurs (z)imparfaits.

Publié le 18 décembre 2008 par Nancy

Gobeur de cadeaux

Projection dans l'horreur. Le réveillon bat son plein. L'ambiance est joyeuse. Les enfants sont fébriles. Il y a chez moi une flopée d'enfants. Puis, l'heure des cadeaux arrive. Et là, la charmante filleule ultragâtée arrive (neveu, cousin, fils d'un ami, petit-fils d'une tante éloignée : adaptez selon ce qui colle le plus à votre situation !). Elle veut SES cadeaux. Tout de suite. Immédiatement.

Pas capable d'attendre qu'un autre termine de déballer son cadeau pour s'attaquer au sien. Pas capable de regarder deux minutes son cadeau et l'apprécier un peu ou même penser à ce qu'elle pourrait bien faire avec dans les jours qui viennent. Pas plus capable de regarder ce que les autres ont eu et d'être contente pour eux. Elle y va plutôt d'un commentaire nul du genre « C'est pour les bébés » ou d'un classique trop fendant « Je l'ai déjà, mouaaaaaaaa ».

Pas capable de patienter : elle en veut un autre. Un plus gros. Elle déchire l'emballage, le réduit en miettes et même la canne de Noël joliment installée près du chou doré « revole » jusque dans la tasse de thé de Mémé. Exit la magie du moment. Sa magie à elle réside dans la grosseur du présent... et dans le nombre de cadeaux qu'elle triture ! Parce que tout en s'affairant à déballer à la vitesse d'un éclair, elle tient en forme ses notions de mathématiques. Elle calcule non seulement le nombre de cadeaux reçus, mais aussi le nombre de ceux de tous les autres enfants. La déception est totale si un cousin a développé bien plus de cadeaux qu'elle ! La « baboune » sera à l'honneur. Et elle clamera tout haut (et fort !) cette profonde injustice ! Et quand viendra le moment des remerciements — APRÈS bien sûr avoir déballé ses cadeaux —, elle dira son merci du bout des lèvres, la voix faible, les yeux fuyants, l'air blasé, persuadée qu'elle MÉRITAIT qu'on pense à elle ainsi.

Dieu que ces prototypes d'enfants m'exaspèrent à Noël... Je pense que j'ai trop emballé de présents, je disjoncte ! Ce n'était qu'un ~~rêve~~… Ouf!
cauchemar

Publié le 24 décembre 2008 par Nadine

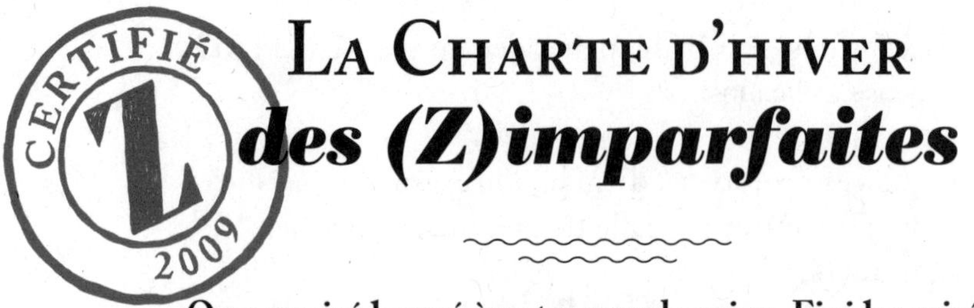

La Charte d'hiver des (Z)imparfaites

On a remisé le rosé à notre grande peine. Fini les soirées dehors. Il fait désormais trop froid. La nuit tombe vite. On a l'impression de ne plus avoir de temps pour rien. À moins de savoir en tirer profit…

À partir d'aujourd'hui, les (Z)imparfaites vous donnent le droit de :

- ❑ Coucher les enfants à 18 h 30. Parce que noir = nuit = dodo. Une soirée entière à nous = waouu ! ;
- ❑ Faire croire aux enfants qu'il fait -32 degrés pour éviter d'aller vous geler en jouant avec eux dehors ;
- ❑ Dire qu'on ira dehors après avoir fait la sauce à spaghetti et étirer longuement la préparation… Ah, oups ! Il est déjà 18 h 30 ! Honnn ! ;
- ❑ Déclarer que Papa est champion en construction de forts et se proclamer Reine des chocolats chauds... à l'intérieur ! ;
- ❑ Profiter des « soirées souffleuse » de l'Homme (une fois les enfants couchés) pour avoir le plein contrôle de la télécommande ;
- ❑ Espérer que la souffleuse manque d'essence pour avoir le temps d'écouter Génération 90 au complet… pour la quatrième fois !

La Charte de la relâche *des (Z)imparfaites*

Parce qu'avec l'hiver vient la relâche. On se rappelle tous combien, petits, on adorait cette trêve. On était loin de se douter à quel point ces petits congés hivernaux étaient source d'angoisse pour nos parents. Et si on se relâchait vraiment pendant cette semaine de vacances obligées?

CERTIFIÉ Z 2009

Les (Z)imparfaites vous rappellent que :

- ❏ Nulle mère n'est obligée de se transformer en G. O. pendant une semaine;
- ❏ Ne pas partir pour Walt Disney ne risque pas de faire débarquer la DPJ à la maison;
- ❏ Devant les éventuelles chicanes entre les membres d'une fratrie, maman a le droit d'ignorer, de plonger dans le déni, de fuir et de s'enfermer dans une pièce sombre;
- ❏ Ne pas accepter spontanément de garder les ti-zamis parce que soit leurs parents travailleurs n'ont pas pensé les inscrire au camp de jour, soit ils se sont dit que ce serait plus économique de trouver une famille bénévole à exploiter;
- ❏ Le ménage peut faire relâche un ti-peu (beaucoup?) aussi!;
- ❏ S'emmerder à ne rien faire fait partie de l'apprentissage de tout enfant.

La Charte post-relâche des (Z)imparfaites

Parce qu'heureusement, la relâche se termine !

Les (Z)imparfaites vous rappellent que :

- ❑ Lundi matin, après une semaine de relâche, vous avez le droit de faire un câlin à la machine à café du bureau ! ;
- ❑ Prétexter une réunion matinale pour aller porter les enfants plus tôt à la garderie et en profiter pour prendre un café et un croissant tranquillement avant le boulot est une excellente façon de retourner au bureau ! ;
- ❑ Vous pouvez aller chercher les enfants plus tard au service de garde : ils se sont teeeeellement ennuyés de leurs amis pendant la relâche ! ;
- ❑ Une p'tite question comme ça : vous n'aviez pas un 5 à 7 à l'agenda cette semaine ?

Une tempête de neige chez les (Z)imparfaites

C'est le plus chouette prétexte pour garder MissLulus et JeuneHomme à la maison... même si la commission scolaire n'a pas ordonné la fermeture de l'école.

Café à la main, enveloppée dans ma veste-doudou, les enfants dormant encore et Papa (im)parfait suant à gratter le verglas de la nuit sur nos voitures, j'ai pris la décision qu'on restait à la maison. Tant pis pour l'école ! Tant pis pour la garderie ! Tant pis même pour ma journée de boulot que je voulais doublement productive. Tant pis ! MissLulus ne remet pas une thèse de doctorat aujourd'hui, quand même.

Le nez devant la fenêtre givrée, j'ai flanché. J'ai décrété qu'il n'y avait pas d'école aujourd'hui. Point à la ligne. Aucune envie de m'aventurer dehors. Aucune envie de faire un petit détour par la garderie pour aller chercher JeuneHomme à 16 h. On reste tous ici. MissLulus était bien heureuse de ce congé fait de promesses de films, de confection de biscuits et de séance intensive de bricolage.

En plus, je n'ai eu à l'aider que pour les biscuits!

Et, le nez toujours collé contre la vitre un peu moins givrée et plutôt enneigée ce midi, alors que mes deux monstres des neiges cueillaient des morceaux de neige et de glace, j'ai pris un deuxième café. J'ai resserré un peu ma veste-doudou et me suis dit que j'avais pris la plus merveilleuse des décisions... Et depuis qu'ils dorment comme des bûches, exténués par leur aventure nordique dans la cour, je ne suis que plus convaincue que faire l'école buissonnière, c'est drôlement imparfait et drôlement chouette ! Comme la neige !

Un autre café ?

Publié le 10 décembre 2008 par Nadine

J'haïs les casse-têtes !

Février. Mon décompte est commencé. Dans un mois, ce sera la relâche scolaire. Et si j'y pense dès maintenant, c'est que j'ai besoin d'au moins un mois de préparation mentale pour être assurée de passer au travers.

Car je sais que cette semaine de vacances forcées comptera son lot d'activités insupportables dont celle qui m'indispose le plus entre toutes : faire des $ &? &** & de casse-têtes !

C'est plus fort que moi, chaque fois que ma Lili-fan-finie-de-casse-têtes me supplie d'en faire un avec elle, j'ai envie d'aller me cacher dans la salle de lavage. Je me demande qui peut bien prendre son pied en « puzzlant » ?! Quel est le profil génétique des adultes consentant à faire des casse-têtes ? Quel plaisir retire-t-on à reconstruire une image insignifiante découpée en petits morceaux ? QUI a inventé ces objets de torture ? Et quand je vois des boîtes de 1 000 pièces et plus au magasin, je manque à tout coup de défaillir !

Alors, quand Lili voit que je deviens livide et amorphe à force de refaire les mêmes casse-têtes (elle en a 16 et, quand elle veut faire des casse-têtes, cela implique de les faire tous les 16 !), elle me propose son autre activité préférée.

La cr... de pâte à modeler ! Après 15 minutes, Lili veut ranger et j'en ai pour 30 minutes à ramasser les tites maudites graines minuscules qui, pour une raison que j'ignore, ont décidé de se réunir en congrès sous ma chaussette !

Du coloriage, alors ? Ahhhh ! *Vade retro* les crayons de cire ! ! Ça pue et je suis toujours pognée pour « gosser » avec le ti-maudit papier. J'en retire toujours trop et le crayon se retrouve tout nu et casse en 30 secondes, immanquablement !

Puis viennent les minuscules perles à enfiler, la peinture au doigt, les modèles à coller, les jeux de mémoire, l'interminable Monopoly...

Les enfants, ça vous dirait de regarder un film ?

Publié le 3 février 2009 par Nancy

Cinq endroits où on n'ira absolument pas durant la relâche

La relâche, c'est aussi une semaine de congé pour les parents. Alors, a-t-on vraiment envie de faire la file, de se ruiner ou de se les geler ? Car une semaine, c'est si vite passé !

Euh ! Ouais... Pas si vite quand même !

Voici la liste des cinq endroits où vous ne risquez pas de nous rencontrer pendant la relâche :

1. Au Biodôme. On n'en peut plus du paresseux invisible et des pingouins. En fait, on n'en peut plus du tout du Biodôme qui ne se renouvelle jamais... mais qui est toujours archi-plein ! Et on ne me convaincra plus d'aller voir les papillons en liberté. Si eux sont en liberté, nous, on se fait piétiner. Il faut attendre parfois près de deux heures devant des bonsaïs (le premier, on le trouve beau, mais après quatre… un arbre rabougri, ça demeure un arbre rabougri !). Et il y a tellement de gens dans l'unique sentier (à sens unique) qu'on est pris dans le mouvement de la foule et qu'on ne peut même pas prendre le temps de regarder les papillons une fois qu'on y est arrivés. Bref, on est mieux d'aller à la chasse aux papillons au parc en été ou de réserver cette visite pour une journée d'école buissonnière improvisée ! ;

2. Dans un centre d'amusement familial bourré de modules, jeux et autres parcs à balles. Les cris de joie, l'excitation débordante, on aime ça quand c'est notre enfant. Mais les autres nous énervent ! Et durant la relâche, il y a beaucoup, beaucoup de ces autres enfants surexcités. Pour assouvir le besoin de grimper de Junior, on va se contenter des installations du McDo ou du Burger King le plus proche (en dehors des heures de pointe, SVP !) ;

3. Au cinéma. Trop de monde ! Trop d'attente ! Trop d'enfants ! Juste l'idée de devoir trouver un stationnement nous donne des frissons. Et si on attendait une semaine pour aller voir le film qui sort expressément à la relâche et que tout le monde veut voir ? ;

4. Au Zoo de Granby en hiver. A-t-on vraiment le goût de cracher 100 $ pour aller voir le même zèbre que l'été dernier et l'été prochain ? Et de se les geler en plus ? OK, on l'avoue, on manque de volonté... Mais on préfère étirer les mois entre les visites pour préserver la « magie » (!) ;

5. Dans les centres de glissade sur tube. On a fait l'effort d'essayer… une fois ! Le portrait après une heure de folle glissade et de fous rires*: quatre adultes la langue à terre, le cœur débattant et les joues ultra-rouges après avoir traîné les tubes et les cinq enfants dans une tempête naissante, mi-pluie verglaçante, mi-neige. Les installations conviennent seulement aux enfants qui sont capables de tirer leur tube tout seul dans des sentiers plus ou moins entretenus jusqu'au remonte-pente. Si ce n'est pas le cas des vôtres, n'y allez pas ! En 20 minutes vous allez vous retrouver à prendre un chocolat chaud au chalet. Autant aller directement chez Tim Hortons !

Ça, c'est l'image qu'on avait vue à la télé...

Publié le 2 mars 2009 par les (Z)

La Charte printanière *des (Z)imparfaites*

CERTIFIÉ Z 2009

C'est donc beau, le printemps… Mais avec des enfants, l'heure n'est pas aux premiers cui-cui mais aux fonds de culottes pleins de boue, à la course aux bottes de pluie et à la dure constatation : les vêtements d'été de l'an passé ont de toute évidence rétréci au cours de l'hibernation. Qui devra encore mettre son vieux linge ? (Papa !).

À partir d'aujourd'hui, les (Z)imparfaites vous donnent le droit de :

- ❏ Ne pas céder au chantage des enfants et ne pas aller à la cabane à sucre ; laissez-les jouer dans la boue dehors, puis préparez-leur un gros déjeuner arrosé de sirop d'érable. L'illusion sera parfaite ! De la tire, ils en vendent à l'épicerie ! ;

- ❏ Ne pas laver les bottes, tuques, manteaux d'hiver et salopettes avant de les ranger. De toute façon, vous ne vous en souviendrez pas l'automne prochain et vous allez tout relaver… ;

- ❏ Exploiter tous les membres de la famille pour la corvée du ménage du printemps. Le p'tit dernier sur les épaules de Papa avec un linge d'eau savonneuse : un bon truc pour laver le haut des murs et les plafonds ;

- ❏ Ramasser tous les jouets bruyants et encombrants et tous les vêtements moches reçus en cadeau et réserver une date pour votre vente de garage. Négocier un généreux 3 % de commission avec vos enfants ;

- ❏ Laisser les enfants piocher et faire des « bouquets » avec vos pousses de vivaces : une bonne façon de réduire les touffes trop envahissantes. En prime, ça vous fera un beau cadeau de Pâques pour grand-maman ! ;

- ❏ Le ménage du printemps est un concept inventé par les fabricants de produits ménagers. Répéter cette phrase comme un mantra.

Jouons dans la terre !

Je me rappelle encore mes premières sorties au parc avec mes trois enfants en format bébé. L'enfer sur Terre.

Avant de débarquer ma marmaille de la poussette, je faisais un tour d'observation. Et je me mettais à l'œuvre. En cinq minutes, j'avais « kické » tous les cailloux hors de leur zone de portée, j'avais creusé le sable pour être sûre qu'ils ne tombent pas sur une seringue ou un condom usagé et j'avais scruté le sol et éliminé tous les morceaux de verre visibles à l'œil nu dans l'aire de jeu.

Mais il y avait un « danger potentiellement mortel » sur lequel je n'avais pas de contrôle : le sol lui-même ! Et Lolo était à cette époque friand de cette « nourriture » si accessible. Jouer dans un carré de sable représentait pour lui un vrai « buffet à volonté ». L'herbe et la terre subissaient le même traitement. Il s'en faisait même un *doggy bag* en s'emplissant les poches.

Comprenez, j'étais une nouvelle maman à l'époque et je n'étais pas (z)encore une (z)imparfaite...

Aussi, je n'ai pas pu m'empêcher de sourire quand je suis tombée récemment sur cette étude citée dans l'ultra-sérieuse revue *Neuroscience* et vantant les bienfaits des bactéries contenues dans... la terre ! Des scientifiques britanniques ont ainsi conclu que jouer dans la terre activait les neurones du cerveau produisant de la sérotonine, ce qui entraînerait un effet antidépresseur.

Avoir su !

Si jouer dans la terre est synonyme de bonheur, imaginez l'euphorie qu'elle procure quand on la mange ! Et moi qui tentais par tous les moyens de priver Lolo de cette joie... Quelle mauvaise mère j'étais (à l'époque) !

Publié le 24 avril 2009 par Nancy

Pourquoi Pâques ?

Noël, j'adore. L'attente, la parade et les deux semaines de congé. L'Halloween aussi. C'est plein d'interdits qu'on franchit allègrement. On change de peau. On sort la nuit. C'est la meilleure des fêtes « imaginairement » parlant. La Saint-Valentin, passe encore. On s'envoie des petits cœurs, on se dit qu'on s'aime. Le poisson d'Avril, c'est rigolo. Mais Pâques ! Pâques... Joyeux chocolat ? Joyeux maudit toutou de lapin ? Joyeux oeufs ?

Bon, d'accord. On a congé. C'est toujours ça de pris. Mais « Joyeuses Pâques », c'est moi ou ça sonne faux ? Ça sonne creux. Comme les chocolats.

Je sais bien qu'avant, Pâques avait une signification puisée à même la religion, mais là, pour les enfants qui ne vont pas à l'église, ne sont pas toujours baptisés et n'ont aucune info sur le petit Jésus, il me semble que c'est difficile de comprendre ce qu'on fête vraiment. Le monsieur, il va ressusciter. Essayez d'expliquer ça à vos enfants ; ils vont dire : « Comme Mario Bros, il a plusieurs vies ? » Même la télévision ne repasse plus les sempiternels films sur la vie de Jésus ou de Moïse. C'est pour dire comment c'est rendu *off*, Pâques !

à part que c'est le bébé qui naît à Noël

Et l'orgie de chocolat pouvait avoir un sens après avoir fait carême pendant 40 jours. Aujourd'hui, les enfants carburent au sucre à longueur d'année. Alors, pourquoi leur en offrir **ENCORE** à Pâques ? Il n'y a pas si longtemps qu'on a jeté la vieille provision collante de l'Halloween. Et ici, on a encore un lapin aux oreilles brisées dans le congélateur. Depuis un an. Dépenser 10 $ pour un horrible micro de Hannah Montana en chocolat, un gros ballon de soccer, un dinosaure, Dora, Spiderman ou une famille de lapins, je trouve ça... exagéré ? Ça me rend malade, surtout que le choco n'est même pas bon ! Avec le même montant (au moins… 10 $), j'achèterais une petite paire de gants pour jardiner, une pelle, un sceau, un ballon gigantesque, un bac rempli de craies de trottoir, un petit kit de jardinage, un *hula hoop*...

Et c'est sans parler des maudits toutous ! L'autre folie de Pâques ! Après un an, je pouvais déjà recréer l'arche de Noé avec tout l'attirail animalier que MissLulus avait reçu ! Il y a longtemps que la fermette au complet a été déposée au bazar du coin. Bref, les jouets et bébelles reçus à Pâques sont soit des puits sans fond de sucre et de calories ou des ramasse-poussières assez inutiles merci !

Alors, on fait quoi avec Pâques ? On le bannit ? Woooh ! Qui lèverait le nez sur quatre jours de congé ? Disons qu'on la rebaptise la « fête du printemps » et qu'on lui redonne son sens laïque de renouveau. Pourquoi pas ?

On ressort le barbecue, on retrouve nos bottes de pluie et on désherbe le terrain. On inaugure la corde à linge. On se réunit entre amis et on fête l'ouverture officielle de la porte-fenêtre. On ouvre la première bouteille de rosé de l'année, celle qui nous fera croire que l'été est déjà arrivé, et on trinque pour oublier les microbes qui nous ont assaillis tout l'hiver. On projette nos vacances. On pense aux fêtes qu'on célébrera, aux endroits qu'on visitera. Les grands feront tourner les cordes à danser, attraperont les ballons et lanceront les balles des enfants surexcités non pas par le sucre, mais par le grand air. Quatre jours à croire que les journées froides sont derrière nous. Quatre jours pour faire le plein d'énergie et terminer la course jusqu'à la Saint-Jean. Si possible, trouver la première coccinelle, découvrir les bourgeons dans notre arbre préféré ou une touffe de crocus pressés.

Et on termine ces quatre jours en beauté le lundi soir, par une grosse fondue aux deux chocolats (ceux de l'an dernier et ceux de cette année)... Question d'en finir au plus vite !

Publié le 10 avril 2009 par Nadine

J'aime (enfin) le parc

Jusqu'à il y a exactement cinq semaines, je n'aimais pas aller au parc. Je préférais faire la vaisselle, récurer la toilette, repasser des chemises ou même plier huit brassées qu'aller socialiser avec d'autres parents, grimacer en sentant le sable froid s'infiltrer dans mes souliers, surveiller JeuneHomme se prenant pour un pro grimpeur et m'étouffer en voyant les tentatives d'acrobatie de MissLulus.

Mais il y a cinq semaines, après un long hiver, j'ai eu la surprise totale : mes enfants avaient grandi. JeuneHomme est désormais capable d'aller où bon lui semble sans demander mon aide. MissLulus s'est transformée en « aimant-à-amis », alors elle est bien affairée quand on va au parc. Résultat : la promenade au parc est devenue un vrai plaisir. Je joue 10-15 minutes avec eux dans le sable à construire notre fameuse île aux tortues, puis qu'est-ce que je constate ? Je suis toute seule à creuser le sable avec ferveur, les deux autres m'ayant déjà abandonnée pour aller rejoindre leurs amis. Je peux apporter un livre, lire une* revue, prendre le temps de ne rien faire... pendant que Papa (im)parfait reste à la maison pour tondre le gazon, laver la vaisselle, récurer la toilette, repasser des chemises ou plier du linge...

*je pourrais même traîner mon rosé, mais j'ai pas osé encore!

Plus question que je passe mon tour aussi facilement maintenant !

Publié le 19 mai 2009 par Nadine

La Charte de la fête des Mères des (Z)imparfaites

C'est notre fête et il faut la savourer… sans trop espérer, car c'est la seule façon de l'apprécier !

À partir d'aujourd'hui, les (Z)imparfaites vous donnent le droit de :

- ❏ Ne pas vous approcher à moins de 10 mètres d'une table à langer ou d'un paquet de serviettes humides ;
- ❏ Ne plus fêter votre mère en cette journée, ça fait 30 ans que ça dure ! C'est à votre tour d'être la reine de la journée ! ;
- ❏ Décréter que la veille et le lendemain de la fête des Mères sont aussi des jours fériés pour les mamans ;
- ❏ Rêver. Mais ne croyez pas qu'à la fête des Mères vous ne lèverez pas le petit doigt. C'est « plate », mais ce n'est encore jamais arrivé (on a vérifié dans les annales de la maternité !).

Dans LE loft avec moi

Ce n'est pas vraiment une **envie de prendre le large**, ni un désir de fuir la réalité, ni encore une soif de grande liberté. Mais LE loft, c'est un peu ça aussi ! Ne vous y méprenez pas : on n'est pas à TQS. NOoooooooooonnnnnn ! (franchement !)

LE loft, c'est notre lieu imaginaire à quelques mamans et moi. Un grand loft dont chacune d'entre nous aurait la clé et où on pourrait aller quand bon nous semble. Pour prendre un bain sans le partager ! Pour aller y lire la fin d'un bon livre sans craindre de se faire déranger. Pour s'écraser dans de gros divans moelleux et blancs (et qui restent blancs !). Pour troquer la vue imprenable sur les amoncellements de jouets par des bibliothèques de livres, de revues, de DVD à voir et de CD à écouter. Pour décompresser après une prise de bec avec Papa. Pour retrouver des copines. Pour oublier que tout va mal au bureau. Pour retrouver notre chien, car l'allergie du petit dernier nous a forcés à nous en départir. Pour s'éclipser en douce. Pour prendre une minipause.

On l'a souvent décoré, LE loft. Dans notre tête. Durant nos virées de magasinage. Wow ! La belle table en verre si dangereuse et cassante. Impossible à mettre dans notre maison sans qu'elle soit parsemée d'empreintes ou égratignée par le passage répété de petites autos. Mais elle irait tellement bien dans le décor du loft. Même chose pour les trucs déco très « fille » que nos chums détestent. On les entasse sans problème dans LE loft. Et on y a même imaginé les coins les plus délicieux : une immense terrasse (avec toit pour ne pas subir les assauts de la météo), une grande surface de travail pour la cuisine partagée des copines, un coin lecture feutré, un coin brico pour l'une et un bain à remous pour une autre.

Vous y ajouteriez quoi, dans LE loft, vous, si on vous donnait une clé ?

Publié le 6 août 2008 par Nadine

Le « syndrome » de la maternité tardive

Il y a plusieurs années, une collègue et moi avions développé un programme d'intervention précoce parents-poupons. Notre objectif premier était de rejoindre les jeunes mamans, souvent isolées et peu outillées dans leur nouveau rôle de parent. Quelle ne fut pas notre surprise de découvrir devant nous, lors de notre première couvée du programme, une majorité de participantes âgées de plus de 35 ans, pourtant bien outillées et entourées — elles avaient tout lu, s'étaient préparées depuis le jour du test de grossesse à l'arrivée de ce poupon dans leur vie —, mais finalement totalement paniquées par la maternité ! Leur bébé ne se retourne pas du dos au ventre à quatre mois ? Elles sont prêtes à consulter un ergothérapeute pour le stimuler. À dix mois, il ne fait que babiller ? Elles ont déjà pris rendez-vous avec une orthophoniste. Et elles sont en démarche pour une évaluation du développement de la motricité globale parce que leur bébé n'a toujours pas fait ses premiers pas à un an. En six semaines avec elles, nous avions l'incroyable défi, non pas de les aider à stimuler leur enfant, mais plutôt de les accompagner pour qu'elles se mettent au diapason de leur tout-petit.

Non, ce ne sont pas toutes les mamans plus âgées qui vivent ce « syndrome » de la maternité tardive comme je l'ai affectueusement baptisé, et oui, on peut bien sûr retrouver ce phénomène chez des mamans plus jeunes. Il reste que c'est tout de même dans ce groupe d'âge, les 35 ans et plus, qu'on retrouve le plus de parents totalement hystériques face au développement et aux performances de leurs enfants. Et je suis certaine que ce sont en majorité les enfants de ces parents qui remplissent ces « fabriques des surdoués » malheureusement de plus en plus en demande dans les milieux de garde. La proportion des nouvelles mamans de plus de 35 ans est de plus en plus élevée, leur nombre ayant triplé entre 1987 et 2005. C'est donc dire qu'on en croise de plus en plus dans notre quotidien. Et j'avoue que l'impact chez les enfants concernés me fait peur...

Heureusement, malgré que la maternité soit arrivée tardivement dans ma vie (je suis devenue maman pour la première fois à 35 ans, j'ai eu mon deuxième enfant à 37), je n'ai pas été atteinte de ce syndrome et j'en suis bien soulagée. Pour mes enfants surtout. Oui, j'ai vécu de l'insécurité les premières semaines, les premiers mois — surtout à ma première —, mais tout de même, j'ai toujours eu à cœur de les laisser se développer à leur propre rythme. Et surtout de ne pas vouloir en faire de petites machines plus performantes que celle du voisin...

Aux yeux de ces mamans de ma « tranche d'âge », je dois passer pour une mère dénaturée et totalement insouciante du développement optimal de ses enfants. Mais je m'en fous ! Parce que je trouve cela drôlement plus enrichissant de ralentir le rythme pour me mettre au niveau de mes enfants plutôt que d'accélérer le leur pour les faire grandir trop vite. Et je pense sincèrement que bien des parents auraient avantage à en faire autant, tant pour leur propre équilibre mental que pour celui de leur progéniture !

Publié le 4 février 2009 par So, (Z)imparfaite invitée

Manies de maman

Je me vois aller et j'ai peur. Franchement, j'accumule les manies, les tics et les habitudes récurrentes.

Des exemples ?
— Dans ma maison, je me promène en me traînant volontairement et constamment les pieds (question de ne pas marcher sur la défense d'un éléphant ou encore de rouler sur une voiture...) ;
— Je *shake* (avance-recule) encore le panier d'épicerie alors que... les enfants ne sont même pas avec moi... (et n'en ont plus besoin !) ;
— Je coupe systématiquement les carottes, légumes ou viandes dans n'importe quelle assiette qui se trouve devant moi... ;
— Je chantonne « Brosse, brosse, brosse, j'me brosse les dents ! Celles d'en arrière... » en me brossant les dents. Toute seule dans la salle de bain ;
— Je me surprends à me féliciter pour :

Ohhh le beau pipi !

— Ou lui dire « bye-bye » !
— J'exagère mes mouvements « on regarde à gauuuuuche, à drrrroiiiite et un autre p'tit coup à gauuuuuuche » quand je traverse une rue... ;
— Je laisse jouer le CD de *Passe-Partout* ou d'Annie Brocoli dans l'auto, les vitres ouvertes et je chante… en allant SEULE au bureau ! ;

— Je m'extasie devant tous les camions de pompiers, même quand JeuneHomme n'est pas là.

Appelons cela des réflexes maternels pour ne pas suspecter les premiers signes de démence chez moi. D'ac ?

Publié le jeudi 28 mai 2009 par Nadine

La Charte de la fête des Pères *des (Z)imparfaites*

CERTIFIÉ
Z
2009

Même si les mères, de par leur nature, en font plus (c'est pas nous qui le disons, on a lu ça dans une revue!), les papas ont droit à une petite pause, eux aussi, une fois par année. Pas plus!

À partir d'aujourd'hui, les (Z)imparfaites vous donnent le droit de:

- ❑ Toujours reprendre Papa quand il dit: « On a accouché »… Nooon! Être dans la même pièce au même moment ne lui donne pas le droit de s'inclure dans l'acte;

- ❑ Toujours le reprendre quand il nous appelle « maman » ou feindre la surdité subite et temporaire;

- ❑ Lui donner toute la place qu'il mérite, notamment quand vient le temps de donner les bains, de changer les couches, de moucher un nez à la pompe, de mettre un suppositoire…;

- ❑ Lui donner plus d'occasions de sortir comme aller à la garderie, aller aux réunions de parents à l'école, aller acheter des couches à 21 h 50…

Œdipe power !

Depuis environ un an, Momo est une *fan* finie de TriplePapa. Je pensais que ce serait une phase temporaire, mais plus les mois passent et... moins ça lui passe !

c'est son déodo, Momo!

TriplePapa met une cravate pour aller au boulot, et la voilà qui s'exclame : « Oh, que tu es beau, papa ! » Et elle lui balance tous les classiques, de « Tu es le plus beau papa de la Terre ! » à « Tu sens bon le parfum d'homme ! »

Pis moi, je suis un pichou?!

Bon.

Ça allait encore jusqu'à ce qu'elle commence à devenir la porte-parole officielle de son père et qu'elle prenne son parti en toutes circonstances, particulièrement celles où je ne suis pas à mon avantage.

Exemple : TriplePapa est écrasé sur le sofa et je lui suggère (fortement) d'aller partir une autre brassée de lavage pendant que je range la vaisselle. La voilà qui le plaint :

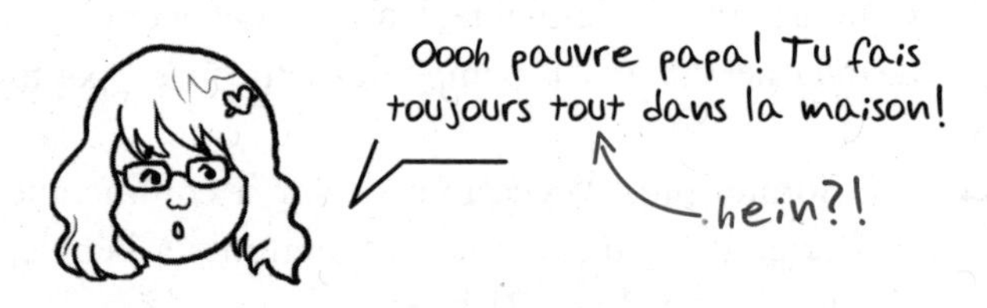

Elle se permet même de m'accrocher dans un coin et de me faire la morale : « Maman, tu demandes trop de choses à papa, il faut qu'il se repose un peu ! »

re-hein!

Et quoi encore ?

Au retour du boulot, Momo s'enquiert évidemment du niveau de fatigue de son papa chéri. Pendant le souper, elle en profite pour multiplier les commentaires pro-papa (« La salade est tellement plus meilleure quand c'est papa qui met la vinaigrette ! ») et trouve chacun de ses commentaires plus intelligent, chacune de ses blagues tellement drôle (et pourtant...).

Si TriplePapa ne l'encourage pas dans son fanatisme, il prend un plaisir évident à être louangé de la sorte. Et le grand sourire qu'il affiche commence à me taper royalement sur les nerfs !

Bien sûr, ça ressemble à un complexe d'Œdipe tout ce qu'il y a de plus normal. Freud nous dirait que Momo manifeste « un désir inconscient d'éliminer le parent rival du même sexe ». Bref, c'est l'âge ! Tasse-toi de là, maman ; papa, c'est mon homme !

Comment m'y prendre pour lui faire entendre raison ?

Publié le 20 avril 2009 par Nancy

Abus de « messages clairs » !

Les enfants ont appris une nouvelle règle de communication dès les premiers jours à la maternelle. S'ils ont un conflit avec un ami, ils doivent émettre un « message clair » et dire à l'ami en question ce qu'ils ressentent, tout en s'assurant que ce dernier a bien compris. Pas mal ! Sauf qu'ils s'entêtent désormais à appliquer cette règle à la maison, et ce, sans aucun discernement.

Si bien que TriplePapa et moi ne pouvons plus avoir le plaisir quotidien de nous pogner pour un rien sans qu'un de nos tortionnaires de la communication exige qu'on utilise un « message clair » !

TriplePapa empile ses chaussettes sales dans un coin de la chambre ? Je ne peux plus hurler en balançant lesdites chaussettes dans la cage d'escalier menant au sous-sol sans entendre une petite voix me dire : « Lui as-tu fait un message clair, maman ? » Il n'était peut-être pas assez clair, effectivement, mais ça fait 15 ans que je le répète, il me semble que ça devrait suffire !

Publié le 6 octobre 2008 par Nancy

Super Nanny contre Dre Nadia

Il n'y a rien de pire qu'un affrontement sur nos stratégies éducationnelles en pleine nuit.

Peut-être troublé par la tourbillonnante rentrée ou perturbé par des cauchemars, JeuneHomme se réveille systématiquement toutes les nuits depuis cinq jours. Si, avant, un simple biberon qu'on allait réchauffer sur le radar suffisait pour le rendormir, cette ruse est maintenant révolue.

Crise. Mégacrise. Hurlements stridents. Cris directifs : « DÉÉÉÉÉBARRRRRRQUÉÉÉÉÉ ! ! ! » ou « PUUUUUU DOOODOOOOOOOOO ! ! ! » en alternance.

Une ou deux nuits, on plie. On l'emmène dans notre lit. On le sort, le minouche un peu, on l'emmène même dans le salon pour s'endormir bien collés devant un film. Mais là, après cinq nuits de suite, Mr. TerribleTwo a pogné son Waterloo. Maman s'est transformée en Super Nanny et a crié : « Ça suffiiiiiiiit ! »

mouhaha! Sûrement inventé par un non-parent!

Même avec une discipline de fer, un aller-retour dans la chambre à différents intervalles (le fameux 5-10-15), JeuneHomme ne démord pas et hurle de plus belle en me proclamant « Pas gentiiiiiiiiille ! » Une heure après avoir commencé. À croire que ses piles ne faiblissent jamais.

Je ne suis pas gentille, je le sais. Toi non plus, JeuneHomme ! C'est frustrant de ne pas obtenir ce que tu veux : je te comprends ! Moi non plus, je n'ai pas ce que je veux. Et je suis à boutte !

DORMIR!

ou de nerfs?

À bout de forces, Super Nanny a ensuite lancé le torchon et cédé sa place à Papa (im)parfait qui s'est métamorphosé en une parfaite Dre Nadia. Il est allé DISCUTER dans la chambre avec JeuneHomme-en-furie. À coups de « grand garçon par-ci » et « grand garçon par-là », il a réussi à le calmer (ma petite voix jalouse m'a dit que c'était peut-être juste parce que JeuneHomme-tellement-fru était hyper fatigué de tempêter ainsi depuis maintenant près de deux heures... Allons savoir véritablement !). Papa (im)parfait, fier comme un paon de sa technique, a un peu fanfaronné. « Suffisait de discuter calmement. »

Pfffft ! Bravo, Papa (im)parfait ! Puisque tu es siiiiiii diplomate avec le contestataire de la maison, je t'annonce que tu es promu ! Eh oui, tu en seras encore chargé la nuit prochaine. Allez, le Casque bleu familial ! Bonne nuit !

et les suivantes!

Publié le 10 septembre 2008 par Nadine

La Charte des droits estivaux *des (Z)imparfaites*

CERTIFIÉ Z 2009

Yabadabadou ! C'est les vacances ! Oh ! Horreur ! C'est les vacances des enfants aussi ? Concilier été et rosé, c'est facile… Voici comment les (Z)imparfaites abordent avec joie et sans stress la belle saison !

À partir d'aujourd'hui, les (Z)imparfaites vous donnent le droit de :

- ❑ Ne pas donner de bain aux enfants pendant au moins quatre jours... ou les laver dans la piscine (ou au boyau d'arrosage ?) ;
- ❑ Faire croire aux enfants que ce serait si MERVEILLEUX de passer la nuit dans la tente SEULS avec Papa dans la cour ! ;
- ❑ ... et en profiter pour verrouiller les portes, fermer les rideaux et dormir une nuit complète sans se faire réveiller ! ;
- ❑ Jeter votre longue liste de sorties prévues aux attraits touristiques familiaux et investir plutôt dans l'achat d'une parfaite chaise longue ! ;
- ❑ Profiter au maximum des festivals et spectacles gratuits : les enfants voient-ils vraiment une différence entre le Cirque du Soleil et une foire agricole ? ;
- ❑ D'acheter une slush format géant à votre enfant… s'il se fait garder ! (Tant qu'à payer une gardienne…) ;

❏ Laver les serviettes de piscine… dans la piscine ! Une nuit sur la corde à linge, et hop ! Il faut bien que ça serve à quelque chose, du chlore ! ;

❏ Préparer systématiquement le plat que l'ami/voisin pot de colle déteste chaque fois qu'il squatte à la maison ;

❏ Dire tout haut ce qui vous passe par la tête devant l'ami pot de colle. Avec un peu de chance, il ira tout raconter à ses parents et ceux-ci ne voudront plus qu'il mette les pieds chez vous !

Les (Z)imparfaites à la plage

Imaginez une semaine...

Quatorze semaines de vacances… minimum !

Ma réflexion du jour est purement mathématique. Et elle revient désormais chaque année quand vient le temps de choisir les dates des vacances d'été au bureau.

Ça va comme suit : quand les enfants commencent la vie scolaire, de combien de semaines de vacances aurions-nous besoin en tant que parents ?

(8 X 5) + (2 X 5) + (1 X 5) + 15 = 70
(été) + (Noël) + (relâche) + pédagos = 14 semaines

Et là-dessus, on ne compte pas les rendez-vous médicaux qui ne peuvent être pris qu'entre 9 h et 16 h les jours de semaine, ni les congés de maladie imprévisibles et inévitables qui se multiplient selon la variable NbE (nombre d'enfants).

Bien sûr, la moitié de ces congés pourrait être pris par un seul parent, en alternance avec l'autre, mais ce serait oublier la lourde tâche qui incombe aux mères monoparentales.

Donc, c'est immuable : 14 semaines de vacances minimum !

Pétition, manif, sit-in, grève de la faim ? Des supporteurs ?

Publié le 7 avril 2009 par Nancy

Cours de socialisation avec d'autres parents

Ça y est. Il faut que je plonge. Plus moyen de reculer. Je devrai très bientôt socialiser plus étroitement avec d'autres parents. MissLulus multiplie les activités sportives et parascolaires et, en plus, elle commence l'école.

Elle est hyper contente d'ouvrir son univers. Et Papa (im)parfait aussi adoooore parler aux gens, retrouver un vieil ami au centre commercial, saluer une vague connaissance de travail et, chaque fois que l'on sort, il jubile à l'idée de rencontrer quelqu'un qu'il connaît. Alors que moi, je suis plutôt du genre à baisser la tête quand je vois une similiconnaissance rencontrée au cégep, de peur qu'elle me reconnaisse et vienne me voir (mon principe est simple : mais qu'est-ce que j'aurais à lui dire ? Si j'avais voulu garder contact et lui raconter ma vie, je l'aurais fait... alors on ne s'imaginera pas « bons copains » l'espace de cinq minutes !). Bref, à l'approche de l'ère de socialisation pour MissLulus, je panique un peu. La perspective du rapprochement avec des inconnus ne m'enchante guère.

Si je semble si peu sociable, c'est surtout parce que je n'aime pas étaler ma vie devant tous. Je parle peu de moi. Je me trouve ennuyante quand le seul sujet de conversation avec un adulte se résume à « mes enfants ». Je ne zyeute pas ce qu'a mon voisin pour avoir quelque chose de mieux que lui. Je suis un peu sauvage. Je trouve futile de « faire semblant » d'être amie avec tous alors que ce n'est pas le cas.

Mon premier cours de socialisation 101 pour parents s'est très mal passé. Échec lamentable. Pendant que MissLulus barbotait dans l'eau à la piscine, j'en avais profité pour me plonger dans mon roman. Une demi-heure *non-stop* de lecture ! La paix ! Je levais la tête assez souvent pour voir ses prouesses aquatiques, mais sans plus. Il faut dire que les autres parents m'ignoraient totalement. Leur bla-bla de recherche d'écoles privées (pour un enfant de cinq ans !!!), leurs multiples voyages à l'étranger, leurs problèmes de nounou ou de garderie pas-assez-éducative pour leurs petits et autres tracas ne me rejoignaient guère. Plus ils parlaient, plus je me fondais derrière les pages de mon roman.

Cet été, MissLulus joue au soccer. Je reprends donc mon cours là où je l'avais laissé. Au mois de juin, je me suis promis de me forcer un peu. Voilà ! Du coup, ça me semble plus facile. On est dans un immense parc, l'ambiance est joyeuse (et non guindée !), la fin de journée est délicieuse, le vent est frais, les parents-spectateurs sont de bonne humeur ; après tout, c'est les vacances ! Mais je n'ai pas encore réussi à établir une grande conversation avec un autre parent... Je m'efforce. Je fais des efforts. Je rapproche ma chaise un peu plus chaque fois.

Mais je dois avouer que je fais l'école buissonnière de temps en temps. Ce n'est pas ma faute : la bibliothèque est tout près. Et la perspective de me réserver une heure toute seule m'enchante ! Surtout que je n'ai même pas besoin d'aller au terrain, car c'est Papa (im)parfait qui est l'entraîneur !

OK... souvent !

Je passerai mon cours de socialisation l'an prochain. Est-ce vraiment si urgent ?

Publié le 25 juillet 2008 par Nadine

Pourquoi aller cueillir des fraises ?

Ça devait faire 20 ans que je n'étais pas allée aux fraises. Poussée par une vague de nostalgie, j'ai proposé cette activité à ma tribu.

Yé! On va aller cueillir des fraises dans les arbres!

S'est-on écrié de joie dans la maisonnée. Devant les lacunes en connaissances agricoles de ma progéniture, j'étais convaincue : il fallait y aller.

Quinze minutes plus tard, nous étions rendus à la fraisière. Quelle joie ! Ça pousse dans le 450, ces trucs-là !

Nos trois paniers en main (chaque enfant voulait SON panier), nous voilà en chemin vers l'éden, un champ regorgeant de fraises rouges, sucrées, gorgées de soleil. Un avant-midi idéal, quoi !

Après avoir rempli sa panse et poussé l'effort jusqu'à déposer UNE fraise dans SON panier (pourtant réclamé à cor et à cri !), Lolo sautait à pieds joints par-dessus les plants, tandis que Lili, davantage intriguée par les fraises blanches, farfouillait sous les plants à la recherche de ces perles rares (et immangeables !). Momo, altruiste, a cueilli une fraise pour chacun de ses amis/connaissances. Après une vingtaine de fraises — son cercle d'amis étant encore limité à cinq ans —, elle avait rempli sa mission.

Pendant ce temps, TriplePapa choisissait soigneusement chaque petit fruit qui aurait l'honneur d'être déposé dans son panier. Résultat : un demi-panier de fraises cueillies en une demi-heure. Qui a dû prendre les choses en main ? QUI ?!!!

Note à moi-même : dans 10 ans, quand l'envie d'aller cueillir des fraises me reprendra, me rappeler l'existence des marchés publics. L'affaire sera réglée en moins de cinq minutes ! Mal de dos en moins !

Publié le 4 juillet 2008 par Nancy

(Z)exclusif!

Les bons trucs des (Z)imparfaites

que vous ne retrouverez dans aucun autre livre, promis!

et valant à eux seuls l'argent investi dans celui-ci

Objets de chantage

J'ai commencé ma collection quand les enfants avaient autour de deux ans. Remplis d'innocence, ils s'offraient à l'objectif sans se douter que, des années plus tard, ils allaient le regretter amèrement. Et depuis, j'accumule les éléments de preuve dans un coffre-fort (OK, OK, une vulgaire clé USB...) en attendant le jour J, celui où je pourrai obtenir des faveurs de leur part malgré l'âge ingrat de l'adolescence en les menaçant d'envoyer les moments les plus embarrassants de leur enfance par courriel à leurs amis... ou de tout balancer sur YouTube ou sur leur profil Facebook.

Des exemples ?
Il y a cette vidéo tournée alors que Momo avait à peine trois ans et qu'elle s'offrait en spectacle en petites culottes en faisant une chorégraphie de son cru sur *Lady Marmelade* (elle était une grande fan de la B.O. du film *Moulin Rouge* dans sa jeunesse !). Et qu'a-t-elle d'embarrassant, cette chorégraphie ? Debout sur un petit banc, Momo monte et descend sa petite culotte au rythme de la musique... D'un chic fou !

Ou cette autre vidéo de Lolo qui se pense « viril » et danse sur un succès de Mika (!)... la Pull-Ups pognée dans les chevilles !

Sans oublier ma série de photos des enfants qui dorment dans l'auto avec, en gros plan, d'immenses coulisses (que dis-je, des rivières !) de bave qui s'échappent de leur bouche.

Bref, je n'en manque pas une... et pas question de diffuser ces perles avant une dizaine d'années... C'est vraiment trop cruel d'humilier un enfant ; mieux vaut se servir des preuves incriminantes contre un (futur) ado arrogant !

Publié le 26 février 2009 par Nancy

Au chocolat, bien sûr !

MissLulus a une fixation sur le chocolat dans les muffins. TOUT muffin doit contenir du chocolat, autrement elle lève le nez. Ou elle invoque un léger mal de ventre soudain (et très, très passager !). Les muffins chez grand-mère sont toujours meilleurs. Pourtant, on a la même foutue recette de muffins aux bananes. Alors, où est la différence ? Les pépites de chocolat ! On ne parle pas ici de bourrer les muffins de choco. Non, quelques petites pépites suffisent.

Tu veux du chocolat, ma MissLulus ? Tu en auras ! Gnac gnac gnac !

Ma solution ? Je dispose minutieusement quelques chipits sur le chapeau des muffins (de n'importe quelle sorte !) avant la cuisson. L'illusion est parfaite. Comme MissLulus reconnaît la boîte de cacao à des kilomètres à la ronde, je la sors invariablement chaque fois que je cuisine gâteaux ou muffins. Et quand elle a le dos tourné, je troque le cacao contre une bonne demi-tasse de graines de lin moulues qui sont (oh !) de la même couleur ! Avec quelques pépites ou une pastille de chocolat sur le dessus, elle n'y voit que du feu. Je peux même lui refiler sans sourcillement des muffins bourrés de purée de carottes !

Alors, qu'est-ce qui cuit dans le four ? Répétez après moi : des muffins au CHO-CO-LAT !

Publié le 29 janvier 2009 par Nadine

Conseils de sœur

Ma sœur est passée par les affres de la maternité avant moi. Grâce à ses judicieux conseils, elle a fait de moi une maman beaucoup plus avertie. En voici trois. Sentez-vous bien libre de les prodiguer aux nouvelles mamans...

1. « Ne jamais espérer qu'un bébé dorme »
Celui-là, je l'ai entendu maintes fois dans la bouche de ma sœur à propos de ses deux fils. Je constate aujourd'hui toute la perspicacité de cette phrase. C'est un après-midi gris, Bébé tombe endormie dans mes bras. Je la dépose tranquillement dans son lit, puis je vais m'étendre sur le mien. Ahhhhhh. Je sombre lentement dans le sommeil.

Cinq petites minutes plus tard, des pleurs retentissent. La voix de ma sœur résonne dans ma tête : « Ne jamais espérer qu'un bébé dorme. » Si on n'oublie pas cette phrase, on s'évite beaucoup de déceptions.

2. « Fourre-lui dans la bouche »
Ce conseil s'applique aussi bien au sein qu'à la suce. Avant d'accoucher, alors que je partageais avec ma sœur mes craintes face à l'allaitement, elle m'a expliqué qu'il ne fallait pas « offrir » le sein au bébé, mais bien le lui « fourrer dans la bouche » pour qu'il le prenne. Et vous savez quoi ? Ça marche. Même chose pour la suce. Bébé fait une face de dégoût et repousse l'objet avec sa langue ? « N'aie pas peur de la lui fourrer dans la bouche », m'a dit ma sœur. Et vous savez quoi ? Ça marche.

3. « Couche-moi ça sur le ventre »
À elle seule, ma sœur est en train de défaire des années de prévention faite par les médecins. Alors qu'ils s'époumonent à dire aux nouvelles mamans de NE PAS coucher les bébés sur

le ventre, sous peine de mort subite du nourrisson, ma sœur passe derrière eux et conseille à toutes les nouvelles mamans de coucher leurs bébés sur le ventre. « Ça dort ben mieux de même ». Et toute nouvelle maman le sait, le sommeil, ça n'a pas de prix.

Publié le 27 janvier 2009 par Marie-Ève, (Z)imparfaite invitée

La bonne idée du jour

Vos enfants sont fatigués, grognons, chialeux et, inévitablement, l'inévitable se produit : ils pètent une crise commune ?

Faites comme les (Z)imparfaites et envoyez-VOUS réfléchir dans votre chambre !

Et, surtout, n'oubliez pas d'adapter la bonne vieille règle du « trois ans = trois minutes ».

Dans mon cas, 35 ans = 35 minutes.

Yessss !

J'ai déjà hâte de souffler une bougie de plus sur mon gâteau d'anniversaire !

Publié le 4 avril 2009 par Nancy

Le mystère de la vie

Dimanche soir, brûlée par le week-end (deux jours qui en valent cinq!), je m'en allais m'écraser sur le sofa pour un gros quatre minutes entre deux séances de pliage de brassées de lavage quand il a fallu que Lili me pose LA question:
— Maman, j'étais où avant d'être dans ton ventre?
Aaaarrrggghhh... Je ne filais pas du tout pour de l'existentiel, mais comme j'ai quelques techniques éprouvées, je croyais m'en tirer vite fait...
— Tu étais dans mon cœur, ma Lili! (Téteux mais imagé... faisait l'affaire jusqu'à maintenant...)
— Alors, comment j'ai fait pour passer de ton cœur à ton ventre?
— Parce qu'un médecin m'a aidée (judicieuse insertion ici du concept de procréation assistée).

— Il m'a fait une surstimulation hormonale pour me permettre d'ovuler, puis il a retiré les ovules et les a fécondés avec des spermatozoïdes à l'aide de la technique de micro-injection. Puis, deux jours plus tard, il a réimplanté les embryons de ta sœur et ton frère, ainsi que le tien, et tadam! vous étiez tous les trois dans mon ventre! (exemple concret de ma méthode brevetée pour stopper les questionnements existentiels chez l'enfant — qui fonctionnait jusqu'à maintenant — et qui consiste à balancer rapidement toute une série de mots de vocabulaire inconnus et terminer l'explication par un tadam! sonore, puis reformuler la question initiale en mode affirmatif)
— Je ne te crois pas. On va regarder sur Internet! me lance ma micropuce de cinq ans.
— ...!

Et, par un malencontreux hasard, Google était *down* ce soir-là...

— Hooon ! Erreur 404 ! Ça ne marche pas, Lili !
(Héhéhé... *High Five* à moi-même ! Elle est vraiment bouchée ! Je suis pleine de ressources :-)

Allez, je vous refile mon truc pour en finir vite fait avec Internet : je tape <http ://www.google.ca/patate> ou n'importe quoi d'autre. Tant qu'ils ne savent pas lire, on est en voiture !

Publié le 10 novembre 2008 par Nancy

La vie est injuste

Je ne connais rien aux relations sœur-sœur-frère. Je n'ai pas de repères, et TriplePapa non plus, puisque nous sommes tous les deux enfants uniques. J'ai vaguement entendu parler de chicanes, de tirage de cheveux, de « bataillage »... Et, à mes yeux, tout cela semblait follement amusant. Jusqu'à ce que, sous mon toit, ce rêve vire au cauchemar.

Dans notre famille (et juste dans la nôtre, à ce que je crois comprendre), la vie est remplie d'injustices graves, d'envies refoulées et de déséquilibres dans le partage des biens matériels et des denrées alimentaires.

Lolo a toujours moins de biscuits que ses sœurs, Lili a des toutous « tellement moins beaux » que ceux des autres et Momo n'a « même pas de poupée » (alors qu'en réalité, elle en a 12 !).

Pour l'un, c'est toujours trop, pour l'autre, ce n'est jamais assez... et ça se termine invariablement par a) des cris aigus ; b) un pincement jusqu'au sang ; c) une tape sur la figure ; d) un tirage de cheveux ; e) toutes ces réponses.

Mon truc infaillible pour faire baisser la tension ?

Ça commence comme suit : « Quand j'étais petite, je n'avais pas de poupée, juste un toutou même pas beau et je n'avais pas le droit de manger des biscuits ». Ça les fige ben raide ! « Pôvre toi, maman ! Tu devais être triste... » Et ils s'apitoient tous sur mon sort... jusqu'à la prochaine chicane !

Et c'est mamie qui passe pour une *cheap* !

***

Le comble de l'injustice (entendu chez nous)?

Momo: — Pourquoi il faut toujours que je marche pour aller me chercher un Ficello dans le frigo, et pas Lili?

Moi: — Parce que ta sœur est handicapée, Momo, et qu'elle ne marche pas.

Publié le 15 août 2008 par Nancy

Léonie

Léonie est une « sauve-la-vie ». Elle a calmé le jeu plus d'une fois et fait stopper net maintes crises de larmes.

Léonie est une éducatrice remplaçante qui a sévi à la garderie pendant quelques jours seulement et que tous les enfants craignaient. Après quelques plaintes des parents, elle a disparu de nos vies… enfin, pas totalement.

Léonie a suffisamment terrorisé les enfants pour qu'on la garde dans notre manche. Depuis, chez nous, elle est devenue l'incarnation du bonhomme sept heures, de l'ogre de la forêt ou de la méchante belle-mère de Cendrillon (selon le drame en cours).

Lolo fait une crise au resto ? : « Viens, lève-toi, jeune homme, on s'en va chez Léonie ! » Monsieur se calme illico. Silence total. Fin de la crise.

Lili ne veut pas dormir, gigote dans son lit, garroche ses toutous par terre ? TriplePapa met son manteau, prends ses clés d'auto et fait une entrée remarquée dans la chambre :
— Viens, tu vas aller passer la nuit chez Léonie !

Fin des hostilités. Madame a sommeil tout à coup...

On ne compte plus le nombre de fois où on a « appelé » Léonie pour lui dire qu'on s'en venait. Juste un « coup de téléphone » suffit parfois à refroidir les esprits les plus échauffés.

Ce qui est le plus étrange, c'est que partout où l'on va, elle est là... Lors d'un séjour d'hiver dans Lanaudière, elle habitait l'affreuse bicoque de l'autre côté du lac. En vacances à la mer, on a rapidement trouvé sa maison, la plus défraîchie bien sûr, sur la route menant au chalet.

Vous n'avez pas de Léonie dans votre vie ? Je vous la prête ! Même MissLulus la craint et elle ne l'a jamais rencontrée !

Publié le 19 août 2008 par Nancy

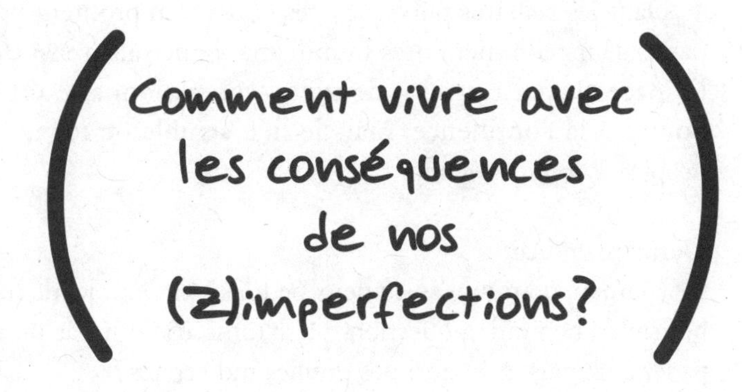
Comment vivre avec
les conséquences
de nos
(z)imperfections?

Tu te sens vraiment imparfaite quand...

L'imperfection apporte son lot d'humiliations. Nulle mère n'est à l'abri des fous rires et de la honte. Voici 13 faits vécus, tous plus (z)imparfaits les uns que les autres :

(1) Dans les toilettes publiques, tes enfants en profitent pour passer leurs commentaires humiliants. Je ne sais pas si c'est l'espace clos et restreint de type « confessionnal » qui les pousse à la confidence, mais le lieu semble étrangement propice à la phrase-choc.

Dernière en lice :
— Maman, pourquoi as-tu deux bedons ? (il s'agit ici de mon bourrelet, ben oui !), question que Momo n'aurait pas pu me poser à la maison à l'abri des oreilles indiscrètes ?

TriplePapa n'est pas en reste, il a déjà dû calmer Lolo qui hurlait dans les toilettes d'une Cage aux Sports de banlieue... :

Touche pas à mon péniiiiis!!!

Sourire gêné en sortant de la cabine devant le regard malveillant du monsieur au lavabo...

Mais si leurs commentaires nous donnent des sueurs froides devant des inconnus, on frôle l'attaque cardiaque quand ils s'adressent à un membre de la famille.

Un exemple récent entendu sous mon toit:
Lili: — Beurk! C'est quoi le blanc que tu as sur les lèvres, grand-papa?

Et que doivent penser les voisins du « Saute-moi, papa!!! » crié à pleins poumons par les filles quand elles veulent se faire lancer en l'air dans la piscine?

Mais le pire, c'est ce cri d'exclamation lancé par Lili devant un enfant trisomique et sa maman, et dont je me souviendrai toute ma vie:

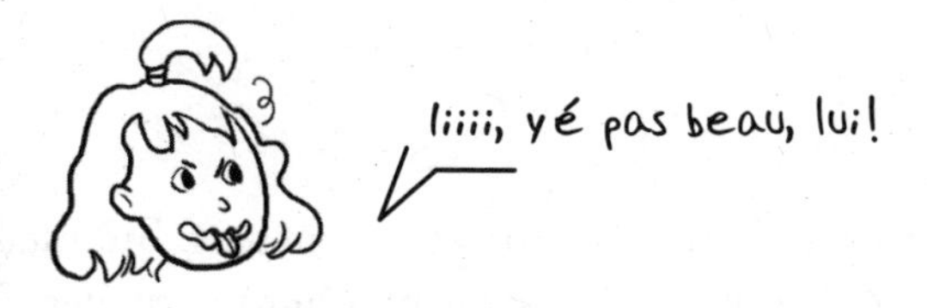

Malaise...

***

② Tu réalises en même temps que tes enfants qu'ils ont le même jouet que la dernière fois dans leur Joyeux Festin...

... et tu dois leur expliquer que c'est parce que ça doit faire moins d'une semaine qu'ils ont mangé du McDo!

***

③ Au magasin, on entend à la radio le début de l'indicatif musical d'*Occupation double* et MissLulus se met à chanter le reste des paroles en se déhanchant:

« Euh, oui, oui, cocotte ! Moins fort, s'il te plaît ! »

Et n'oublie pas ce que je t'ai dit : je garde mes sacs bruns juste au cas où tu m'annoncerais dans 13 ans que tu es inscrite à cette émission. Je te jure que je les mets !

***

(4) Tu emmènes ta fille handicapée au centre commercial un samedi par -15 degrés Celsius juste pour profiter de la place réservée dans le stationnement bondé d'avant Noël...
(et ça ne m'a coûté qu'un chocolat chaud !)

***

(5) Tu achètes un jeu de quilles en plastique tout neuf. Tu l'installes au bout du couloir. Les enfants jouent. Quinze minutes plus tard, ils ont déserté l'endroit. Tu te résignes à ramasser le tout et... tu te rends compte qu'il manque une quille. Puis, tu passes plus de 15 minutes à la chercher et... tu ne la retrouves pas !

Le syndrome des jouets perdus reste un mystère irrésolu !

***

(6) Durant une pièce de théâtre pour enfants, tu t'étires pour mettre ton bras sur le dossier des sièges des deux mini-(Z)imparfaites pour les flatter dans le dos parce qu'elles ont peur et tu t'aperçois après deux minutes que tu caresses... le genou du papa de la rangée d'en arrière !!!

Double honte, c'était un pétard — probablement dans sa fin de semaine de garde — qui devait trouver mes méthodes de *cruise* assez primitives !

***

(7) Ta fille, qui est dans le plâtre depuis six semaines du tronc aux orteils après une chirurgie à la hanche, se réveille deux fois dans la même nuit en criant: « Ça PIIIIIQUE ! Gratte-MOI ! Gratte-moi ! Gratte-MOI ! »

Tu la retournes sur le ventre, tu grattes autour du plâtre et tu lui refiles un suppo de Tylenol pour la calmer...

La même séquence se répète la nuit suivante: pique-ventre-gratte-suppo.

Et tu te rends compte, deux jours plus tard, qu'elle avait... un bout de croquette de poulet collé dans le haut des fesses !

***

(8) Ta fille de cinq ans découvre que tu as un trou dans ton chandail... (ben quoi, ça arrive, non ?).

Horrifiée — que dis-je ? — scandalisée, elle se précipite dans sa chambre. Après quelques minutes, elle en ressort avec son cochon. Elle le vide sur le sofa, trouve un 2 $ et dit:

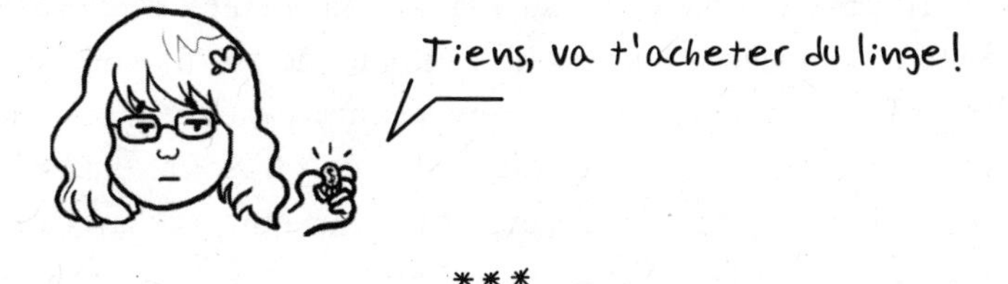

***

(9) Tu te laves le visage avec une lingette à fesses Kandoo parce que tu n'as plus de lingettes démaquillantes...

***

(10) Tu prétextes un rendez-vous chez le coiffeur avec ta fille pour éviter de l'envoyer à une fête d'enfants un vendredi soir...

Puis, tu te dépêches de prendre un rendez-vous afin d'avoir une preuve réelle de ton empêchement...

Et tu t'entends dire à la coiffeuse : « C'est juste pour rafraîchir un peu sa coupe... On pourrait peut-être lui amincir le toupet ? »

Dans le fond, elle n'a pas besoin d'aller chez le coiffeur, mais il faut bien que tu vives avec ton mensonge !
Un 10 $ tout de même bien investi !

***

(11) Voilà ce qui arrive quand, après une nuit de gastro-folie, les enfants enfin à la garderie et à l'école, tu décides d'éteindre l'ordi et quitter le boulot et de te diriger vers ton lit pour une sieste :

— Tu n'entends pas le réveil que tu avais réglé pour aller chercher MissLulus au coin de la rue et tu te fais réveiller par la sonnette de l'entrée ;

— Tu vas répondre en pyjama laid et dépareillé, les cheveux hirsutes, les yeux encore bouffis et plein de plis de draps estampés sur la figure et tu te rends compte qu'il y a, en plus de ta fille, deux « grandes de 6e année » qui sont venues la reconduire et vérifier qu'il y avait bien âme qui vive dans cette maison ;

— Tu vois que l'autobus attend au coin que les grandes reviennent ;

— Tu fais des grands signes de remerciement avec les mains (comment dit-on *merci* de loin, avec les bras ? En tout cas, d'ici, ce n'était pas très gracieux !) vers la chauffeuse et tu t'aperçois que celle-ci te retourne un drôle de sourire plein de sous-entendus.

Non! Non! Ce n'est pas ce que vous pensez! Je dormais, car hier j'ai été malade. Il n'y a personne d'autre que moi dans la maison. Oui, je travaille, mais de la maison... Ah pis! Tant pis! Je referme la porte assez honteuse comme ça. Pas besoin d'en rajouter. Je peux aller me recoucher?

***

(12) Tu coiffes MissLulus pour qu'aucune mèche rebelle ne ressorte...

Tu lui débarbouilles la figure avec soin et attention...

Tu frottes ses collants de ballet pour faire disparaître les marques disgracieuses...

Tu lui apprends à sourire sans montrer ses dents, puisqu'elle a perdu, l'avant-veille, sa première palette (outch! C'est pas joli, joli!)...

Tu lui demandes de ne pas trop s'énerver avant de partir pour son cours de danse, car aujourd'hui, c'est la photo et ce serait chouette si elle restait propre et bien mise jusque-là...

Tout ça pour.... t'apercevoir en arrivant au cours que tu as oublié les chaussons de ballet!!!
Bra-vo!

Et son professeur de nous dire: « Ben, c'est la photo aujourd'hui! »
Et je ne peux même pas dire que je ne le savais pas...

***

(13) Tu es en train d'enrouler ton fils dans une serviette à sa sortie du bain quand on sonne à la porte...

Tu vas répondre et c'est une jeune fille très jolie qui vend des assurances.

Elle déballe son bla-bla, puis tu entends ton petit homme de six ans crier derrière : « Ouvre plus la porte, maman, je veux voir la madame ! »

Tu ouvres la porte, tu te tasses un peu pour qu'il voie la madame et tu la vois faire : « Oh ! » avec des yeux tout ronds.

Tu te retournes et tu découvres ton garçon tout nu... avec une érection de l'enfer comme tu ne l'en croyais même pas capable et qui prend la peine d'ajouter : « Maman, regarde, j'ai un nez de Pinocchio ! »

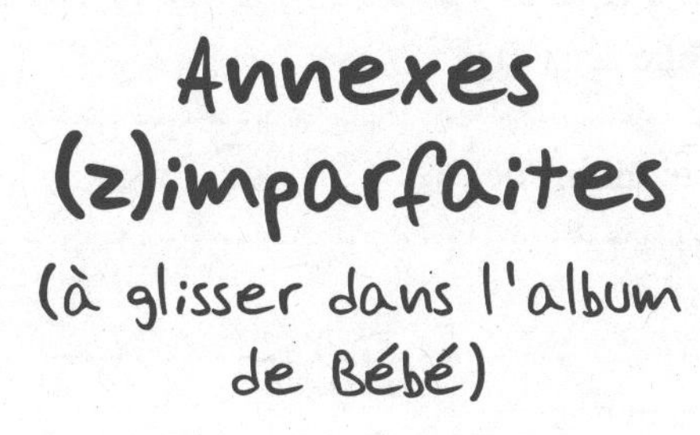
Annexes
(z)imparfaites
(à glisser dans l'album
de Bébé)

À relire lors de la prochaine grossesse!

Si, si, si...!

Avoir su, j'aurais...

— J'ai allaité jusqu'à ________ mois et j'aurais dû arrêter à ________ mois.

— Je n'aurais pas acheté ces jouets:

____

— ni ces accessoires de sécurité qui n'ont servi à rien:

____

— Écouté les conseils suivants:

____

— et oublié ceux-là:

____

— Acheté moins de:

____

— et plus de:

____

— Lu ces livres:

____

— au lieu de ceux-ci:

____

Les perles

Ah! Qu'il est gros, il vous ressemble tellement!

Mon répertoire des phrases insignifiantes entendues...

Enceinte:

____

____

Avec Bébé:

____

____

Ma liste des prénoms non retenus

La liste des (Z) :

merde, c'est une fille!

Marie-Gérarde

Laetissya ça sonne bien, mais je ne sais pas comment l'écrire...

Roderick-Loup ← fausse bonne idée...

Zakkary ça va scorer au Scrabble!

Malykaelle je voulais détenir un brevet d'invention!

Amalthée

je pensais lancer une mode...

Votre liste :

\- - - - - - - - - - - - - → Changé d'idée

\- - - - - - - - - - - - - → Désaccord conjugal

\- - - - - - - - - - - - - → Trop populaire

\- - - - - - - - - - - - - → Va se faire niaiser

\- - - - - - - - - - - - - → Une amie l'a pris avant moi

Autres idées non retenues :

\- - - - - - - - - - - - -

\- - - - - - - - - - - - -

\- - - - - - - - - - - - -

\- - - - - - - - - - - - -

Les &%?&?& de purées !

J'ai pris la peine de faire moi-même ces purées :	Et Bébé a fait :

J'ai failli m'éventrer en coupant mes maudites courges Butternut !

Bébé a raison : c'est dégueu, des haricots verts en purée !

Mon amie la télé !

Liste des titres de toutes les émissions de télé plates que vous avez regardées en allaitant, donnant le biberon, berçant Bébé...

Titre	Heure	Chaîne

— Liste des films pour enfants que vous avez trop regardés…

— Liste des répliques de films pour enfants que vous vous surprenez à utiliser… même au bureau !

Chez Toqué!, devant une assiette hautement gastronomique : <<Miam-miam-miam! It's delicious!>>

Halloween – statistiques annuelles

(Nombre d'heures d'excitation?)

Année	Déguisement	Quantité de bonbons amassés en kg	Nombre de minitablettes de chocolat (indice économique favorable)	Nombre de ti-maudits bonbons à la tire (indice économique défavorable)
-----	--------	--------	---------	-------
-----	--------	--------	---------	-------
-----	--------	--------	---------	-------
-----	--------	--------	---------	-------

Vous n'auriez pas dû !

Liste des cadeaux (de naissance, de Noël, d'anniversaire, etc.) qu'on aurait préféré ne pas recevoir :

-------------- --------------
-------------- --------------
-------------- --------------
-------------- --------------
-------------- --------------
-------------- --------------
-------------- --------------

Vous voulez tuer mon bébé? Cette marque contient des substances toxiques!

Paroles, paroles...

Les mots que mes enfants prononcent dans une langue inconnue :

Âge	Mots
--------------	--------------
--------------	--------------
--------------	--------------
--------------	--------------

Les mots que mes enfants ne devraient pas dire (à leur âge !) :

Âge	Mots
--------------	--------------
--------------	--------------
--------------	--------------
--------------	--------------

Et ceux que j'ai fait la gaffe de prononcer devant eux et qu'ils ont répétés : taba..., clitoris, pédophile...

Les coups de gueules/aventures/humiliations
des (Z)imparfaites se poursuivent
au quotidien sur le Web

www.lesimparfaites.com

Nancy
Nadine
Jeune Homme
Momo
Yes!
Lili
Miss Lulus
Lolo

La production du titre *Le guide de survie des (Z)imparfaites* sur 3 061 lb de papier FSC-SILVA EDI 106 plutôt que sur du papier vierge aide l'environnement des façons suivantes :

Arbres sauvés : 26
Évite la production de déchets solides de 750 kg
Réduit la quantité d'eau utilisée de 70 942 L
Réduit les matières en suspension dans l'eau de 4,7 kg
Réduit les émissions atmosphériques de 1 647 kg
Réduit la consommation de gaz naturel de 107 m^3

C'est l'équivalent de :

Arbre(s) : 0,5 terrain(s) de football américain
Eau : douche de 3,3 jour(s)
Émissions atmosphériques : émissions de 0,3 voiture(s) par année

Marquis imprimeur inc.

Québec, Canada
2009